# ELRIC
# LE NÉCROMANCIEN

**SCIENCE-FICTION**

*Collection dirigée par Jacques Goimard*

MICHAEL MOORCOCK

# ELRIC
# LE NÉCROMANCIEN
Édition révisée et définitive

**Traduit par Michel DEMUTH et Franck STRASCHITZ**

**PRESSES POCKET**

*Titre original :*
THE WEIRD OF THE WHITE WOLF

© Michael Moorcok, 1977

© Temps Futurs 1981 pour la traduction française

ISBN 2-266-1314-9

*A la mémoire du rédacteur des revues* New Worlds *et* Science Fantasy, *Ted Carnell, qui publia les premières histoires isolées d'Elric et me suggéra d'en faire une série.*

*C'est à sa bonté et à sa générosité que je dois les meilleurs encouragements de ma jeunesse. C'est grâce à lui que ces histoires ont été écrites.*

# INTRODUCTION

C'EST un grand plaisir pour moi de voir les aventures d'Elric publiées en français dans leur version définitive.

Conçu en 1955 sous l'influence du *Well of the Unicorn* de Fletcher Pratt et de certains éléments dérivés des fables de chevalerie et des contes orientaux qui (par Merritt, Haggard, Burroughs et Howard interposés) avaient enchanté mon enfance, Elric fut le premier personnage que je destinai véritablement à un public adulte. L'idée fut délaissée tandis que je me consacrais à la rédaction de *Sojan,* une série de pastiches à la manière d'Edgar Rice Burroughs pour *Tarzan Adventures,* le fascicule dont on m'avait confié la direction alors que j'étais âgé de seize ans (et qui, curieusement, constituait la version anglaise du magazine français *Tarzan!*). Puis j'abandonnai provisoirement l'*heroic-fantasy* pour écrire un roman naturaliste (jamais paru et aujourd'hui perdu) et un roman allégorique (publié récemment en Angleterre et aux États-Unis), et c'est seulement en 1959 que John Carnell me commanda une série pour sa revue *Science Fantasy*. Je crus d'abord qu'il attendait une reprise de Conan (dont j'avais peu de temps auparavant ébauché quelques aventures pour le *Fantastic Universe* de Hans Stefan Santesson, en accord avec L. Sprague de Camp), mais il apparut que

Carnell était en quête d'un personnage entièrement neuf.

Je décidai donc de ressusciter Elric et de le faire aussi différent que possible des héros conventionnels de « Sword and Sorcery ». Le manuscrit original de 1955 fut exhumé et me servit de base de travail. Pour l'aspect physique d'Elric, je m'inspirai en grande partie de Zenith l'Albinos, un malfaiteur qui avait hanté, avant guerre, les pages de la série Sexton Blake (*The Sexton Blake Library* était en gros l'équivalent du feuilleton français *Fantomas* ou du *Nick Carter* américain; je fus l'un de ses éditeurs dans les dernières années de son existence).

Au moment où je me mis au travail, j'avais déjà perdu tout intérêt pour la science-fiction et le fantastique traditionnels et je me tournais vers les œuvres d'écrivains tels que Camus, Brecht ou Borges.

A ma façon primaire (je travaillais beaucoup pour les *comics* à cette époque) je tentai d'incorporer aux récits des préoccupations morales et des éléments de ma propre vie. A dix-neuf ans, ma problématique était évidemment quelque peu naïve et loin de moi l'idée de prétendre que ces histoires sont autre chose que ce qu'elles paraissent être. C'est cependant en pleine conscience que je les ai dotées d'un symbolisme freudien et jungien, presque en manière de commentaire sur les travaux de H.P. Lovecraft dont la misanthropie, et plus précisément la misogynie et l'antisémitisme m'ont toujours profondément déplu. Aujourd'hui encore, la meilleure part de l'*heroic-fantasy* (exception faite des œuvres de Leiber et de M. John Harrison) m'apparaît comme désagréablement morbide et réactionnaire. Le conflit permanent d'Elric entre ses allégeances à la Loi et au Chaos reflète mon propre anarchisme. La morale qui se dégage de ses aventures est simple : « Pensez et agissez pour vous-même; ne suivez pas les chefs; ne croyez en aucun Dieu, aucun héros ou rédempteur, en aucune mythologie », et c'est en ce sens que mes histoires d'*heroic-fantasy* doivent être considérées comme antagoniques du genre qui les a sécrétées. « La justice, dit Elric, n'existe pas – il faut la créer. L'abstrait doit devenir concret. » Mais parvenir à installer un minimum de justice dans le monde réclame des efforts considérables. Bien que j'éprouve encore de l'affection pour Elric je tends à le considérer aujourd'hui comme on se considère avec quelques années de recul. Sa transformation en Jerry Cornelius reflète les changements de ma propre existence, mon travail étant le plus souvent indirectement autobiographique, soumis aux mouvements de mon évolution personnelle.

J'aurais pu dire : Elric, c'est moi. A présent, je déclare : Elric, c'était moi; celui que j'ai été.

Ses ascendances littéraires sont sans doute plus à chercher du côté des romantiques européens (comme c'est encore le cas pour l'œuvre de M. John Harrison, de très loin le meilleur auteur actuel d'*heroic-fantasy* qui regarde Villon, Hugo et Baudelaire plus volontiers que Poe, ou Cabell, ou Morris) que de celui de ses équivalents américains. Malgré sa crudité juvénile, il s'inscrit dans une tradition qui remonte à Scott et Byron. L'éthique est au centre de ses aventures. Pour simples et rudimentaires qu'elles soient, c'est ainsi qu'il faut les considérer. Depuis *The Golden Barge* (le fameux roman allégorique) je n'ai cessé d'examiner les mêmes thèmes, avec une précision et une complexité croissantes qui rendent compte de mon évolution d'écrivain. Ce qui ne signifie pas que les histoires d'Elric doivent être lues autrement que comme des récits d'évasion et appréciées, si elles le sont, pour les questions morales qu'elles soulèvent plutôt que pour leur imagerie et leur action.

J'ai exacerbé en les écrivant les doutes et les angoisses assez ordinaires du jeune homme que j'étais. Mon choix de l'*heroic-fantasy* était guidé par deux raisons : la forme me convenait et elle ouvrait un accès direct aux magazines. J'affirmais à l'époque que la science-fiction et le fantastique me satisfaisaient en ce qu'ils permettaient à un auteur de se faire la plume tout en vendant le produit de ses tâtonnements. Il m'arrive donc de trouver une certaine ironie à voir ces histoires, dont je n'espérais même pas en les écrivant qu'elles fussent un jour réunies en volumes, publiées aux États-Unis dans des éditions luxueuses, coûteuses et limitées, adaptées en bandes dessinées, en albums de rock ou en jeux de société.

C'est en France, grâce à l'enthousiasme de gens comme Maxim Jakubowski, Michel Demuth et Philippe Druillet, qu'Elric connut ses premiers succès hors d'Angleterre, bien avant, par exemple, de devenir célèbre aux États-Unis ; voilà pourquoi il m'est doublement agréable de le voir revenir ici après tant d'années.

J'ai toujours considéré Paris comme ma seconde patrie et souvent trouvé le public français particulièrement généreux et intelligent dans l'accueil qu'il réserve à mes œuvres. Mon goût profond de la littérature française, romantique comme naturaliste, le fait que j'ai tiré tant de mes métaphores personnelles de la peinture et de la culture populaire de ce pays, l'amour indéfectible que je porte à Paris font que je me réjouis d'avoir pour la première fois l'occasion d'écrire une introduction spécialement pour le lecteur français, l'occasion aussi d'exprimer ma gratitude à tous ceux qui ont fait preuve de tant de gentillesse et d'hospitalité à mon égard depuis ma première visite à Paris, il y a vingt-cinq ans de cela. Je voudrais en particulier remercier Georges Hoffman, agent et ami, Stan Barets qui a décidé que ces livres valaient la peine d'être réédités en France (et qui prévoit de publier toutes les histoires d'Elric encore inédites dans ce pays) ainsi que mes amis Jean-Luc Fromental, Lili Stains et François Landon dont l'affection jamais démentie continue à rendre mes séjours à Paris si plaisants et stimulants.

Michael Moorcock
Paris XI<sup>e</sup>
Septembre 1981

# PROLOGUE

Dix mille années le Glorieux Empire de Melniboné régna sur le monde. Dix mille années avant que l'on écrive l'histoire; dix mille années après les dernières chroniques. Tout ce temps, quel qu'en soit le compte, le Glorieux Empire prospéra. Si vous voulez garder vos espérances, pensez au terrifiant passé de notre planète ou bien songez à l'avenir qui nous attend. Mais si vous acceptez de croire en l'affreuse vérité : le Temps est la mort du Présent et toujours il en sera ainsi.

Finalement, ravagée par l'épouvante uniforme du Temps, Melniboné tomba, d'autres nations lui succédèrent : Ilmiora, Sheegoth, Maidahk, S'aaleem. Puis vint l'Histoire : l'Inde, la Chine, l'Égypte, l'Assyrie, la Perse, la Grèce et Rome; mais de ces nations, pas une ne dura dix mille années.

Et pas une ne connut les terribles mystères et les sorcelleries secrètes de l'antique Melniboné. Pas une n'eut accès à de tels pouvoirs. Seule Melniboné domina la Terre pendant cent siècles – puis s'effondra, elle aussi, ébranlée par un Verbe redoutable, sous l'assaut des Puissances surnaturelles qui décidèrent qu'elle avait outrepassé le temps qui lui avait été imparti, et ses fils furent éparpillés sur la face de la Terre. Et ils furent vagabonds, craints et haïs par les hommes, eurent peu d'enfants, s'éteignirent lentement, et lentement oublièrent les secrets de leurs puissants ancêtres. L'un d'eux fut le cynique et rieur Elric, à l'humeur sombre, à l'humour fracassant; orgueilleux Prince des ruines, Seigneur d'un peuple errant et humilié, dernier chaînon de la lignée royale de Melniboné. Elric, le vagabond au regard songeur, homme seul en face d'un monde, vivant d'expédients et de son épée runique Stormbringer. Elric, dernier Seigneur de Melniboné, dernier adorateur de ses dieux grotesques et merveilleux. Elric, pillard sans scrupules, aventureux et insouciant, tueur cynique, homme déchiré par une douleur immense, portant le poids d'un savoir qui eût fait perdre la raison à tout autre. Elric, créateur de délires fous, se vautrant parfois dans des délices insensées...

## LE SONGE DU COMTE AUBEC

DEPUIS la fenêtre sans vitre de la tour de pierre, on pouvait apercevoir le grand fleuve qui sinuait entre des rives imprécises et brunes, se perdant dans le hallier vert et dense qui montait vers la masse plus sombre de la forêt pour venir s'y fondre progressivement. Et la falaise surgissait à son tour de la forêt, grise d'abord, puis d'un vert pâle, toujours plus haute, s'assombrissant en se couvrant de lichens pour rencontrer enfin les rocs les plus bas et les plus massifs, à la base du château. Le château dominait le pays dans trois directions. Il détournait le regard du fleuve, aussi bien que des rochers ou de la forêt car ses murailles étaient hautes, taillées dans le granit épais, et ses tours étaient denses et projetaient leurs ombres l'une sur l'autre.

Aubec de Malador s'en émerveillait et se demandait comment des bâtisseurs humains avaient pu construire cela, si ce n'est par la sorcellerie. Mystérieux et sombre, le château semblait sur ses gardes car il était au bord même du monde.

A cette heure, le ciel bas projetait une clarté étrange et jaune sur le côté occidental des tours, renforçant encore les ombres. Des vagues profondes de ciel bleu affrontaient le déferlement de la grisaille tandis que des nuages rouges s'échafaudaient pour produire encore d'autres colorations plus subtiles. Pourtant, pour aussi impressionnant que fût le ciel, il ne pouvait longtemps arracher le regard des escarpements de Château-Kaneloon, de ces blocs énormes qui avaient été entassés par les hommes.

Le Comte Aubec ne se détourna de la fenêtre qu'à l'heure où tout fut obscur, quand la forêt, la falaise et le château devinrent des ombres vagues sur le fond des ténèbres. Alors, il passa une main lourde et noueuse sur sa tête désormais presque chauve et, songeur, se dirigea vers le tas de paille qui était censé être sa couche.

Il avait rassemblé la paille dans l'alvéole créé par un arc-boutant, et la muraille et la pièce étaient éclairées par la lanterne de Malador. Mais l'air était froid. Il s'étendit sur la paille, la main à portée de la prodigieuse épée à poignée double qui était son arme unique. Avec sa formidable croix, sa lourde garde incrustée de pierres et sa lame de cinq pieds, épaisse et lisse, elle semblait avoir été forgée pour un géant, et Malador lui-même était presque un géant. A côté se trouvait l'armure ancienne de Malador, avec son cimier de plumes noires effrangées qui flottaient doucement dans le courant d'air venu de la fenêtre.

Malador s'endormit.

Comme toujours, ses songes étaient emplis de turbulence, d'armées puissantes en marche dans des paysages embrasés, de bannières déployées aux armes de cent nations, de forêts de lances acérées et scintillantes, d'océans de casques, de l'appel sauvage et splendide des trompes de guerre, du claquement des sabots, des cris, des chants et des appels des soldats. Ces songes étaient ceux des temps révolus, de sa jeunesse quand, pour la Reine Eloarde de Klant, il avait conquis toutes les nations du Sud en gagnant presque le Bord du Monde. Seul Kaneloon, aux derniers confins, lui avait résisté et cela parce que nulle armée n'aurait pu le suivre là-bas.

De tels songes, de manière surprenante, n'étaient pas les bienvenus pour cet homme d'aspect si martial, et Malador, cette nuit-là, s'éveilla plusieurs fois, secouant la tête pour essayer de les chasser de son esprit.

Il aurait préféré retrouver Eloarde en rêve. Même si elle était la cause de son tourment. Mais jamais il ne l'entrevoyait dans son sommeil, jamais ne lui apparaissaient ses doux cheveux noirs autour de son visage si pâle, ses grands yeux verts, ses lèvres si rouges, sa silhouette orgueilleuse aux poses pleines de dédain. Eloarde lui avait confié cette quête et il n'était pas parti de bon gré, encore qu'il n'eût pas le choix puisque, avant que d'être sa maîtresse, elle était sa Reine. Le Champion, traditionnellement, était son amant et, pour le Comte Aubec, toute autre condition était impensable. Tel était son rôle, en tant que Champion de Klant, d'obéir et de quitter le palais pour s'en aller conquérir Château-Kaneloon, le déclarer comme partie de son empire, afin que l'on puisse dire que le domaine de la Reine Eloarde s'étendait de la Mer des Dragons jusqu'au Bord du Monde.

Par-delà le Bord du Monde, il n'y avait rien. Rien que le tourbillon du Chaos qui, depuis les falaises de Kaneloon, allait se perdre vers l'éternité, mouvant et bouillonnant, mu'ticolore, habité de formes monstrueuses et inachevées. Car seule la Terre était le site de la Loi et la matière organisée dont elle était faite était depuis des éons drainés vers la Mer du Chaos.

Quand vint le matin, le Comte Aubec éteignit la lanterne qui avait brillé toute la nuit durant, mit son haubert, chaussa ses jambières, posa le casque empenné sur sa tête, ceignit l'épée à son épaule et quitta la tour de pierre qui seule demeurait de l'ancien édifice.

Ses pieds chaussés de cuir trébuchaient sur les pierres partiellement rongées, comme si le Chaos s'était insinué en ces lieux plutôt que de lapper comme toujours les hautes falaises de Kaneloon. Mais cela était certes impossible, puisque nul n'ignorait que les limites de la Terre demeuraient constantes.

Château-Kaneloon lui avait paru plus proche la nuit d'avant, mais cela, il le comprit, n'était qu'un effet de sa taille. Il suivit le cours du fleuve en s'enfonçant à chaque pas dans le terrain glaiseux. Les branches des arbres l'abritaient du soleil qui se faisait plus brûlant comme il s'approchait des falaises. Kaneloon, à présent, échappait à son regard, culminant loin au-dessus de lui. Il se servait fréquemment de son épée comme d'une hache pour se frayer un chemin quand la futaie devenait par trop épaisse.

Il s'arrêta plusieurs fois pour se reposer. Il but l'eau fraîche du fleuve et baigna son visage et son crâne. Il allait sans hâte car il n'avait pas le moindre désir de visiter Kaneloon. Il regrettait d'avoir été ainsi séparé d'Eloarde car il considérait qu'il avait mérité sa Reine. Et puis, il éprouvait – comme tous – la même terreur superstitieuse devant ce château de mystère dont on disait qu'il n'était habité que par une seule créature humaine – la Dame Sombre, la sorcière impitoyable qui commandait une légion de démons et d'êtres issus du Chaos.

A midi, il contempla les falaises et le sentier qui montait vers la crête avec un sentiment de défiance et de soulagement. Il s'était attendu à devoir escalader les escarpements. Mais il n'aurait pas à emprunter un itinéraire aussi périlleux alors qu'il s'en présentait un tellement plus facile. Il noua donc une corde autour de son épée qu'il passa dans son dos car elle était trop longue pour qu'il pût la garder à son côté. Puis, l'humeur toujours aussi sombre, il entreprit de gravir le sentier.

Les rochers couverts de lichens étaient à l'évidence

anciens, contrairement aux spéculations de certains philosophes qui se demandaient pourquoi l'on n'avait entendu parler de Kaneloon que depuis quelques générations. Malador adhérait à la réponse qu'on leur opposait généralement : tout simplement parce qu'aucun explorateur ne s'était aventuré aussi loin avant une date récente. Jetant un regard en arrière, il découvrit le faîte des arbres qui s'agitaient doucement sous la brise. La tour de pierre dans laquelle il avait passé la nuit était à peine visible à l'horizon. Plus loin, il le savait, il n'existait plus de civilisation, aucun avant-poste humain durant des jours et des jours de voyage, aussi bien vers le Nord, l'Est ou l'Ouest. Le Chaos résidait-il au Sud ? Jamais auparavant il ne s'était trouvé aussi près du Bord du Monde et il se demanda si la vision de la matière informe pouvait affecter son cerveau.

Finalement, il parvint au sommet de la falaise et se tint un instant immobile, les bras croisés, contemplant Château-Kaneloon qui se dressait à un mille de là, ses plus hautes tours voilées par les nuages, ses murailles formidables déployées sur toute la longueur de la falaise, ancrées dans le roc. Et, de l'autre côté de la falaise, Malador pouvait maintenant apercevoir la substance du Chaos, frémissante et changeante, à la fois bleue et grise, brune puis jaune, ses couleurs constamment mouvantes comme les langues d'écume qui venaient lécher le château.

Il était envahi d'un sentiment d'une profondeur indescriptible et il demeura incapable de bouger pendant très longtemps, totalement subjugué par le sentiment de son insignifiance. Puis il songea que si quiconque demeurait au Château-Kaneloon, il se devait d'avoir un esprit robuste. Ou bien de l'avoir perdu. Sur ce, il soupira et reprit son chemin, remarquant que le sol était maintenant parfaite-

ment plat, sans le moindre accident, de verre et d'obsi-
dienne, reflétant imparfaitement la grouillante matière du
Chaos dont il détournait le regard autant que possible.

Kaneloon avait des accès nombreux. N'eussent été leurs
formes et leurs dimensions identiques, on aurait pu croire
qu'il ne s'agissait que d'autant de cavernes.

Malador s'arrêta encore un instant pour choisir l'entrée
qu'il emprunterait, puis il s'avança sans hésiter. Il plongea
dans des ténèbres qui semblaient se prolonger à l'infini. Il y
faisait froid, tout y était vide, il était seul.


Bientôt, il ne douta plus de s'être égaré. Ses pas,
bizarrement, n'éveillaient aucun écho. Alors, au sein de
l'obscurité, il commença à discerner des angles, des lignes
brisées. Il devait être entre les parois d'un couloir sinueux,
des parois qui n'atteignaient pas le toit invisible mais qui se
dressaient néanmoins à plusieurs mètres au-dessus de lui.
C'était un dédale, un labyrinthe. Il s'arrêta, regarda
derrière lui et découvrit avec horreur que plusieurs
directions s'offraient à lui, alors même qu'il était certain
d'avoir suivi un parcours rectiligne depuis l'entrée.

Son esprit vacilla et la folie menaça de l'emporter, mais
il lutta et, avec un frisson, tira son épée. Quelle direction?
Il se hâta, incapable désormais de savoir s'il progressait ou
rebroussait chemin.

La folie tapie dans le tréfonds de son cerveau s'infiltra
dans ses pensées, elle devint de la peur et, immédiatement,
lui succédèrent des formes. Des formes furtives et vives,
féroces, bredouillantes, totalement abominables.

L'une des créatures se colla à ses pas et il la frappa de sa
lame. Elle se retira sans paraître blessée. Une autre vint,
puis une autre encore, et il finit par oublier sa panique
tandis qu'il faisait tournoyer son épée, repoussant les

formes atroces jusqu'à ce qu'elles se soient toutes enfuies. Alors, il s'arrêta, haletant, appuyé sur la poignée de son arme. Quant il releva les yeux, la peur afflua de nouveau en lui car d'autres créatures étaient survenues. Avec des yeux ardents et immenses, des talons griffus, des faces avides, parfois à demi familières, moqueuses, ricanantes. Certaines étaient presque reconnaissables, comme de vieux amis perdus, des parents. D'autres étaient d'affreuses caricatures. Poussant un hurlement, il leur donna l'assaut, taillant de sa gigantesque épée, abattant sans relâche sa lame sur des groupes de créatures qu'il chassait d'un couloir pour les retrouver dans un autre.

Un rire malveillant le suivait dans sa course, le rattrapait et le précédait parfois dans les corridors. Il trébucha et s'effondra contre un mur. Tout d'abord, il crut se heurter à de la pierre mais, lentement, le mur devint mou et il passa au travers. La moitié de son corps était engagée dans un autre couloir. Il prit appui sur les mains et acheva de s'extraire de la muraille. Levant les yeux, il vit Eloarde, mais une Eloarde dont le visage vieillissait rapidement sous son regard.

*Suis-je devenu fou?* se demanda-t-il. *Est-ce une hallucination ou bien la réalité? Ou encore les deux?*

Il tendit la main. *Eloarde!*

Elle disparut pour être remplacée par une horde de démons. Malador se remit sur pieds et lança son épée comme un fléau. Mais les démons se dérobèrent et il se jeta sur eux avec un grondement. A cet instant, la peur le quitta et les visions s'évanouirent. Il comprit alors que la peur précédait ces manifestations et il essaya de la dominer.

Il y réussit presque, luttant pour s'efforcer au calme mais, dès qu'il céda à nouveau, les créatures jaillirent des murailles avec des voix aiguës, manifestant une joie mauvaise.

Cette fois, cependant, il ne les attaqua pas. Il se contint avec tout le calme dont il était capable et se concentra sur sa propre condition mentale. Les créatures, alors, commencèrent à s'estomper, les murailles du labyrinthe s'effacèrent et il prit conscience de se trouver dans une vallée paisible, idyllique. Pourtant, le dessin des murs du labyrinthe semblait encore flotter et s'esquisser aux lisières de sa conscience et il lui semblait entrevoir des formes répugnantes courant dans les boyaux innombrables.

Il réalisa que cette vision sereine de la vallée était aussi illusoire que le labyrinthe et, dès lors, vallée et labyrinthe s'effacèrent et il se retrouva seul dans le hall immense d'un château qui ne pouvait être que Kaneloon.

Le hall était désert mais bien meublé. La lumière était ici riche et intense mais il ne parvenait pas à en discerner la source. Il s'avança vers une table sur laquelle étaient empilés des rouleaux de parchemins et s'aperçut avec plaisir que, maintenant, l'écho répondait à ses pas.

Plusieurs grandes portes cloutées s'ouvraient sur le hall mais, pour l'heure, il ne chercha pas à les emprunter. Il voulait avant tout étudier les parchemins et voir s'il pouvait y trouver un indice qui pût lui donner la clé du mystère de Kaneloon.

Posant donc son épée sur la table, il prit le premier rouleau.

C'était un magnifique velin rouge, mais les caractères noirs dont il était couvert ne signifiaient rien pour Malador et il s'en étonna car, en dépit de l'existence de bien des dialectes, un seul langage prévalait sur tous les pays de la Terre. Sur un autre parchemin, il découvrit des symboles différents, et sur un troisième, des séries de dessins hautement stylisés qui se répétaient à intervalles réguliers, d'où il conclut qu'il devait avoir affaire à une sorte d'alphabet. Dégoûté, il jeta le rouleau, reprit son épée et, enflant ses poumons, il hurla :

« Qui demeure ici? Qu'il sache qu'Aubec, Comte de Malador, Champion de Klant et Conquérant du Sud, revendique ce château au nom de la Reine Eloarde, Impératrice de Toutes les Terres du Sud! »

En clamant ces paroles familières, il se sentit un peu rassuré. Mais il ne reçut aucune réponse. Inclinant quelque peu son casque, il se gratta le cou. Puis il jeta son épée par-dessus l'épaule et marcha vers la plus large porte. Avant qu'il l'eût atteinte, elle s'ouvrit et un être géant pareil à un homme, avec des mains comme des grappins de fer, se dressa devant lui avec un sourire grimaçant.

Il fit un pas en arrière, puis un autre, avant de s'apercevoir que la chose n'avançait pas. Il s'arrêta alors pour l'examiner.

Elle devait mesurer un pied de plus que lui, à peu près, elle avait des yeux à facettes dont le regard était bien sûr totalement neutre. Le visage était anguleux, recouvert d'une espèce de vernis gris, métallique. La plus grande partie du corps était faite de métal bruni, chaque pièce étant assemblée à la façon d'une armure. La tête était couverte d'un masque clouté de cuivre et il émanait de la chose une impression de force terrible et insensée. Pourtant, elle n'avait toujours pas bougé.

« Un golem! » s'exclama Malador, comme lui revenait tout à coup le souvenir de ces êtres que la légende prétendait avoir été façonnés par l'homme.

« Quelle sorcellerie t'a créé? »

Le golem ne répondit pas, mais ses mains – qui étaient en vérité faites de quatre pointes de fer – se crispèrent lentement. Et son sourire ne l'avait pas quitté.

Cette chose, comprit Malador, n'avait pas la qualité amorphe de ses précédentes visions. Elle était réelle, puissante, et il ne saurait, quelle que pût être sa force, en venir à bout. Mais il ne pouvait battre en retraite pour autant.

Dans un grincement déchirant de joints métalliques, le golem pénétra alors dans le hall et tendit les mains vers le comte.

Malador pouvait attaquer ou reculer. Mais battre en retraite serait insensé. Il attaqua donc.

Empoignant à deux mains son épée, il en porta un coup de taille au torse du golem qui semblait être le point le plus vulnérable. Le golem abaissa le bras et la lame cogna sur le métal avec une violence qui secoua douloureusement le corps de Malador. Il recula en titubant. Le golem le poursuivit.

Malador regarda derrière lui, espérant découvrir une arme plus puissante que son épée, mais il ne vit que des boucliers ornementés sur le mur, à sa droite. Il se précipita, arracha l'un d'eux et le passa à son bras. Il était rectangulaire, très léger, fait de plusieurs épaisseurs de bois au fil croisé. Il était inadéquat mais, en se retournant pour affronter à nouveau le golem, il se sentit plus sûr de lui.

Le golem s'avança encore et Malador crut deviner quelque chose de familier en lui, tout comme chez certains démons du labyrinthe. Mais ce n'était qu'une impression diffuse. La sorcellerie de Kaneloon, songea-t-il, était en train de grignoter son esprit.

La créature leva les pointes de sa main droite et frappa brusquement, en visant la tête. Malador esquiva et brandit son épée. Les pointes claquèrent sur la lame et, au même instant, la main gauche retomba, droit dans l'estomac du comte. Le bouclier para le coup mais les pointes le transpercèrent en grande partie. Malador l'arracha tout en portant un coup violent aux jointures du genou du golem.

Sans paraître s'intéresser vraiment à Malador, le regard fixé à mi-distance, le golem poursuivit sa progression comme un aveugle tandis que Malador feintait et sautait sur la table en dispersant les rouleaux de parchemins. Il abattit son épée sur le crâne du golem. Des étincelles jaillirent des clous de cuivre et il fit une entaille dans le masque. La créature vacilla, s'accrocha à la table, et Malador fut obligé de sauter sur le sol. Cette fois, il courut droit vers la porte, mais elle refusa de s'ouvrir.

Son épée était ébréchée et émoussée. Il se colla le dos contre le battant. Le golem arrivait sur lui. Sa main de métal heurta le bord supérieur du bouclier qui fut pulvérisé. La souffrance jaillit dans le bras de Malador. Il contre-attaqua, mais il était difficile de manier l'épée dans ces conditions et le coup qu'il porta fut maladroit.

Il comprit alors qu'il était perdu. La force et l'art du combat ne pouvaient suffire à la puissance inconsciente du golem. Quand la créature l'attaqua à nouveau, il se jeta sur le côté, mais l'une des pointes l'atteignit et déchira son armure. Il vit qu'il perdait son sang, bien qu'il n'éprouvât aucune douleur. Il se redressa en se débarrassant des fragments de bois du bouclier et raffermit sa prise sur son épée.

*Ce démon sans âme n'a pas le moindre point faible!* se dit-il. *Et on ne peut faire appel à son intelligence puisqu'il n'en a pas vraiment. Que peut-il donc bien redouter?*

La réponse était évidente. Le golem ne pouvait redouter que ce qui était aussi puissant ou encore plus puissant que lui.

Il fallait utiliser la ruse.

La créature à ses trousses, il courut en direction de la table renversée et sauta par-dessus. Le golem trébucha mais ne tomba pas, contrairement à ce qu'il avait escompté. Pourtant, il fut ralenti par l'obstacle et Aubec mit à profit ce répit pour se précipiter sur la porte que la créature avait empruntée. Elle s'ouvrit. Il se trouvait à présent dans un couloir sinueux, plongé dans la pénombre, presque semblable au premier labyrinthe. La porte se refermait sur lui mais il n'avait rien qui pût la bloquer. Il s'enfonça plus avant. Derrière lui, le golem ouvrit la porte et se lança sur ses pas.

Le couloir tournait sans cesse, dans toutes les directions. S'il ne pouvait toujours apercevoir le golem, il l'entendait. Il avait une peur glacée de le rencontrer brusquement au prochain détour. Mais il atteignit une porte et, l'ayant franchie, il se retrouva une fois encore dans le hall du Château-Kaneloon.

Il se sentit presque soulagé en découvrant cette vision familière. Il entendait grincer les plaques de métal du golem toujours à sa poursuite. Il lui fallait un autre bouclier, mais dans cette partie du hall qu'il découvrait maintenant, il n'existait aucune panoplie – rien qu'un miroir de métal, un grand miroir soigneusement poli. Il serait certainement trop pesant, mais il s'en empara quand même. Il le décrocha dans un bruit sonore et le récupéra dans sa chute à la seconde où le golem frappait à nouveau.

Il se servit des chaînes qui avaient maintenu le miroir pour le brandir devant lui.

Le golem hurla devant ce bouclier improvisé.

Malador demeura stupéfait. Le golem s'était instantanément figé devant le miroir et, maintenant, il reculait. Malador prit alors le miroir et le jeta vers le monstre qui battit en retraite avec un hurlement métallique pour disparaître par la porte.

Soulagé autant qu'intrigué, Malador s'assit sur le sol et examina le miroir. Il était certes de bonne facture mais il n'y avait très certainement aucune magie en lui. Il sourit et dit tout haut : « La créature est effrayée. Elle est effrayée *par son image!* »

Heureux, il rit à gorge déployée, puis fronça brusquement les sourcils.

« Maintenant, il me reste à trouver les sorciers qui l'ont créé pour obtenir vengeance! »

Il se leva, resserra les chaînes du miroir autour de son bras et emprunta une nouvelle porte, craignant que le golem, ayant accompli son parcours dans le labyrinthe, ne ressurgisse inopinément. Cette fois, pourtant, la porte lui résista et il dut s'attaquer au loquet jusqu'à ce qu'il cède sous ses coups. Il s'engagea dans un couloir bien éclairé. A l'autre extrémité, il distinguait ce qui devait être une autre pièce. La porte était ouverte.

Une senteur musquée parvint à ses narines comme il cheminait, un parfum qui lui rappelait Eloarde et les réconforts de Klant.

Lorsqu'il pénétra dans la pièce, il vit que c'était une chambre circulaire, une chambre de femme tout emplie de ce parfum qu'il avait humé dans le couloir. Il domina ses pensées, se concentrant sur Klant et sur sa loyauté. Il franchit une autre porte et découvrit un escalier de pierre que se perdait dans les hauteurs. Il l'emprunta, passant devant des fenêtres faites d'émeraude et de rubis. Les formes mouvantes qu'il entrevoyait au-delà lui firent comprendre qu'il se trouvait sur le côté du château qui dominait le Chaos.

L'escalier semblait aboutir à une tour et, quand il parvint enfin à une petite porte, en haut des marches, il était à bout de souffle et dut s'arrêter un instant avant d'entrer.

Une haute fenêtre s'ouvrait dans le mur. Elle était faite de vitre claire et il pouvait voir au-dehors le bouillonnement menaçant de la matière du Chaos. Une femme se tenait auprès de la fenêtre, elle semblait l'attendre.

« Vous êtes vraiment un champion, Comte Aubec », dit-elle avec un sourire dans lequel on aurait pu deviner de l'ironie.

« Comment connaissez-vous mon nom?

— Je n'ai eu besoin de nulle sorcellerie, Comte de Malador. Vous l'avez clamé bien assez fort en découvrant le hall sous son aspect véritable.

— Et cela, n'était-ce pas de la sorcellerie? dit Aubec sans aménité. Le labyrinthe, les démons – et même la vallée? Le golem n'a-t-il donc point été conçu par la sorcellerie? Tout ce maudit château n'est-il pas d'essence magique? »

Elle haussa les épaules.

« Pensez cela, si vous ne voulez pas connaître la vérité. La sorcellerie, du moins dans votre esprit, n'est qu'une chose grossière qui peut permettre d'entrevoir les forces véritables qui existent dans l'univers. »

Il ne répliqua pas car de telles déclarations l'irritaient. En observant les philosophes de Klant, il avait appris que les paroles les plus mystérieuses ne faisaient bien souvent que déguiser des idées et des choses ordinaires. Il la fixa d'un regard maussade.

Elle était blonde, avec des yeux bleu-vert, une peau très pâle. Sa longue robe était de la même couleur que ses yeux. Elle était, à sa manière secrète, d'une très grande beauté, et elle lui semblait vaguement familière, comme tous les hôtes de Kaneloon.

« Vous connaissez Kaneloon? » demanda-t-elle.

Il ignora sa question.

« Il suffit. Conduisez-moi aux maîtres de ce lieu!

— Il n'y a ici nul autre que moi – Myshella, la Dame Sombre. Je suis la maîtresse. »

Il fut déçu.

« Est-ce donc seulement pour vous rencontrer que j'ai affronté tant de périls?

– C'est vrai, et ces périls étaient plus grands encore que vous ne le croyez, Comte Aubec. Ces monstres n'étaient que le produit de votre imagination.

– Ne m'insultez pas, ma dame! »

Elle rit.

« Je suis de bonne foi. Le château puise ses défenses dans votre esprit. C'est un homme exceptionnel que celui-là qui peut affronter et défaire sa propre imagination. Il n'en fut point pour me trouver depuis deux cents années. Tous ont péri par la peur – jusqu'à maintenant. »

Elle lui sourit. Avec tendresse.

« Et quelle est donc la récompense pour un tel fait? » demanda-t-il d'un ton bourru.

Une fois encore, elle rit et lui montra la fenêtre qui dominait le Bord du Monde et le Chaos, au-delà.

« Au-dehors, rien n'existe encore. Si vous veniez à vous y aventurer, vous affronteriez encore les créatures de vos cauchemars secrets, car il n'y a là-bas rien d'autre à redouter. »

Elle le scrutait avec admiration et il finit par tousser d'embarras.

« Il arrive qu'un homme se présente à Kaneloon pour affronter semblable épreuve. Alors les frontières du monde en sont repoussées car lorsqu'un homme affronte le Chaos, celui-ci recule et livre de nouveaux territoires!

– Tel est donc le destin que vous me préparez, sorcière? »

Elle le regarda d'un air presque modeste. Et il lui sembla qu'elle était plus belle encore. Il referma la main sur la poignée de son épée et la serra douloureusement tandis que la Dame Sombre s'avançait vers lui avec grâce et l'effleurait, comme par inadvertance.

« Il y a une récompense pour votre courage », dit-elle en le regardant droit dans les yeux de telle façon qu'il ne pouvait avoir aucun doute quant à la récompense.

« Ensuite, vous ferez ce que je demande et vous irez contre le Chaos.

— Ma dame, ignorez-vous donc que le rite veut que le Champion de Klant soit le fidèle compagnon de la reine? Je ne trahirai pas sa confiance ni ma parole! »

Il eut un rire caverneux et ajouta . « Je suis venu ici pour repousser une menace dirigée contre le royaume de ma reine, non pour devenir votre amant et votre laquais!

— Il n'existe nulle menace ici.

— Cela me paraît vrai... »

Elle recula comme pour mieux l'apprécier. Car cela était nouveau – jamais auparavant nul ne l'avait refusée. Cet homme si fort qui avait à la fois du courage et de l'imagination lui plaisait plutôt. Il était incroyable, songeait-elle, que de telles traditions aient pu se développer en quelques siècles, des traditions qui enchaînaient un homme à une femme qu'il n'aimait probablement pas. Il se tenait devant elle dans une attitude roide, nerveux.

« Oubliez Klant. Pensez au pouvoir qui peut être le vôtre, le pouvoir de la vraie création!

— Ma dame, je réclame ce château pour Klant. Je suis venu pour cela et c'est ce que je fais présentement. Si je quitte ces lieux vivant, je serai désigné comme conquérant et vous devrez vous soumettre. »

Elle l'entendait à peine. Elle pensait à divers plans pour le convaincre que sa cause était supérieure à la sienne. Peut-être avait-elle encore une chance de le séduire? Ou bien devait-elle utiliser quelque drogue afin de l'ensorceler? Non, il était bien trop fort. Elle devait concevoir un autre stratagème.

Elle le regarda et sentit que ses seins se redressaient malgré elle. Elle aurait préféré le séduire. La récompense avait toujours été autant pour elle que pour les héros qui avaient su triompher des dangers de Kaneloon.

Et elle sut alors ce qu'il lui fallait dire.

« Comte Aubec... Pensez à toutes ces nouvelles terres pour l'Empire de votre reine! »

Il plissa le front.

« Pourquoi ne pas repousser les frontières? insista-t-elle. Pourquoi ne pas *créer* de nouvelles terres? »

Elle guetta sa réaction tandis qu'il ôtait son casque et grattait son crâne presque chauve.

« Vous me donnez enfin un argument », dit-il d'un ton indécis.

« Songez aux honneurs qui vous attendraient à Klant si vous gagniez non seulement Kaneloon — mais ce qui s'étend *au-delà!* »

Il se frottait le menton.

« C'est vrai... C'est vrai... »

Il fronça profondément ses sourcils broussailleux.

« Des plaines nouvelles, des montagnes inconnues, des mers insoupçonnées! Et de nouvelles populations — des cités pleines de gens nouveaux avec, pourtant, la mémoire des générations d'ancêtres qui les ont précédés! Tout cela, vous pouvez l'accomplir, *vous*, Comte de Malador, pour la Reine Eloarde. Pour Lormyr! »

Il sourit légèrement, son imagination enfin attisée.

« C'est vrai! Si j'ai pu venir à bout de tels dangers ici — pourquoi ne pourrais-je pas le faire... là-bas! Ce serait la plus grande aventure de l'histoire! Mon nom deviendra une légende. Malador, le Maître du Chaos! »

Elle lui adressa un regard plein de tendresse, bien qu'elle l'eût à demi dupé.

Il lança son épée par-dessus son épaule.

« Ma dame, je vais essayer. »

Tous deux, immobiles devant la fenêtre, ils contemplèrent le Chaos dont la matière roulait et sifflait pour l'éternité. Pour elle, ce spectacle n'avait jamais été vraiment familier car il changeait tout le temps. En ce moment, les couleurs dominantes étaient le rouge et le noir. Mais des vrilles de mauve et d'orange spiralaient alentour. Des formes bizarres flottaient. Leurs contours étaient imprécis.

« Les Seigneurs du Chaos règnent sur ce territoire », dit Malador. « Que diront-ils?

– Ils ne peuvent rien dire et ne sauraient faire que peu de chose. Eux-mêmes doivent obéir à la Loi de l'Équilibre Cosmique qui dit que si un homme peut affronter le Chaos, il pourra lui commander et le faire Légal. Ainsi croît la Terre, lentement.

– Comment entrerai-je? »

Elle en profita pour agripper son bras musculeux et lui désigna un point précis.

« Vous voyez, là-bas? Cette chaussée qui conduit de cette tour à la falaise?... »

Elle l'observait d'un regard incisif.

« Oh, oui... Oui, je la vois à présent. »

Elle eut un sourire intérieur et ajouta :

« J'ôterai la barrière. »

Il ajusta son casque.

« Pour Klant, pour Eloarde et pour eux seuls je vais entreprendre cette aventure. »

S'approchant du mur, elle ouvrit la fenêtre. Sans lui adresser un regard, il s'engagea sur la chaussée et descendit vers le brouillard multicolore.

Elle le regarda s'éloigner puis disparaître avec un sourire. Comme il était facile de tromper le plus fort des hommes en inclinant dans son sens! Il se pourrait qu'il ajoute de nouvelles terres à son Empire mais les populations n'accepteraient peut-être pas Eloarde comme Impératrice. En fait, si Aubec s'acquittait bien de sa tâche, il créerait par là une menace contre Klant bien plus redoutable que Kaneloon.

Pourtant, elle admirait Malador. Il l'attirait. Peut-être parce qu'il n'était pas aussi accessible que cet autre héros qui avait pris sur le Chaos la propre terre d'Aubec, deux siècles auparavant.

Quel homme! songea-t-elle. Mais, comme la plupart de ceux qui l'avaient précédé, il n'avait eu besoin d'autre promesse que celle de son corps.

La faiblesse du comte Aubec, se dit-elle, résidait dans sa force.

A présent, il avait disparu dans la brume.

Elle se sentait plutôt triste. En accomplissant la tâche que lui avaient assignée les Seigneurs du Chaos, elle n'avait pas ressenti le même plaisir que les fois précédentes.

Ou bien, songea-t-elle, ressentait-elle un plaisir plus subtil à cause de la loyauté du comte et des moyens dont elle avait dû user pour le convaincre?

Depuis des siècles, les Seigneurs du Chaos lui avaient confié Kaneloon et ses secrets. Mais les progrès étaient si lents et il y avait tellement peu de héros qui pouvaient survivre aux dangers de Kaneloon, qui savaient vaincre les périls qu'ils suscitaient.

Pourtant, et un sourire léger flotta sur ses lèvres, cette tâche avait des avantages divers. Elle passa dans une autre chambre afin de se préparer à la transition du château jusqu'au nouveau bord du monde.

Ainsi furent semées les graines de l'Âge des Jeunes Royaumes, de l'Âge des Hommes, qui devait amener la chute de Melniboné.

# LA CITÉ QUI RÊVE

« QUELLE heure se fait-il? » L'homme à la barbe noire arracha son casque doré et le jeta sans précaution sur le sol. Puis il ôta ses gantelets de cuir épais et s'approcha du feu rugissant, laissant la chaleur lentement dégeler ses os.

« Minuit est passé depuis longtemps », grogna un des hommes en armes qui faisaient cercle autour des flammes. « Vous croyez vraiment qu'il viendra?

– On le dit homme de parole, si cela peut vous rassurer. »

C'était un grand jeune homme pâle qui avait parlé, crachant les mots avec malice, et ses lèvres minces s'élargirent en un sourire féroce et moqueur destiné au nouveau venu.

L'homme à la barbe noire se détourna, haussant les épaules. « Malgré toute ton ironie, Yaris, il viendra. » Mais il parlait comme un homme qui cherche à se rassurer.

Maintenant, ils étaient six autour du feu. Le dernier venu était Smiorgan – Comte Smiorgan Tête-Chauve des Cités Pourpres. C'était un homme de cinquante ans, fort et trapu, le visage couturé de cicatrices pour la plupart dissimulées dans son épaisse barbe noire; ses yeux recelaient des feux endormis, et son crâne était nu – d'où son nom. Son armure dorée rehaussée d'ornements était recouverte d'une légère cape de lainage pourpre. Ses doigts épais caressèrent nerveusement la riche poignée de sa longue épée.

« Malgré toute sa superbe et ses belles paroles, je pense qu'Elric est notre homme », dit Smiorgan d'une voix empâtée. « Nous avons sa parole, et il la tiendra.

— Quelle belle confiance, comte! » dit Yaris avec un sourire légèrement narquois, « c'est chose bien rare de nos jours. Pour moi... » Il reprit son souffle et regarda ses camarades, les jaugeant du regard – du maigre Dharmit de Jharkor à Fadan de Lormyr qui regardait le feu en avançant ses lèvres épaisses en une moue désabusée.

« Allons, Yaris, parle! » l'encouragea Naclon, le Vilmirien aux traits nobles de patricien. « Dis-nous ce que tu as à dire, si cela en vaut la peine. »

Le regard de Yaris se posa sur Jiku, le dandy, qui bâilla avec sans-gêne et gratta son long nez.

« Alors? » s'impatienta Smiorgan. « Nous t'écoutons!

— Pour moi, nous devrions partir sans attendre le bon plaisir d'Elric! Sans doute s'amuse-t-il dans quelque taverne à cent milles d'ici – s'il n'ourdit pas contre nous un complot avec les Princes-Dragons. Le temps presse – notre flotte est trop importante pour passer inaperçue longtemps. Même si Elric ne nous a pas trahis, les espions ne tarderont pas à avertir les Princes-Dragons du danger qui les menace. Nous avons le choix entre gagner une fortune fantastique : conquérir la plus grande cité marchande du monde et moissonner ses incalculables richesses, ou bien – si nous tardons trop – trouver une mort hideuse entre les mains des Princes-Dragons. Qu'attendons-nous? Mettons à la voile avant qu'ils aient le temps de faire venir des renforts!

— Ta méfiance, Yaris, est excessive. » Le roi Naclon de Vilmir choisissait ses mots sans hâte et observait sans aménité les traits tendus du jeune homme. «Seul Elric connaît le labyrinthe de canaux qui permet d'accéder aux ports secrets d'Imrryr. Si Elric ne se joint pas à nous, notre entreprise est vaine et sans espoir. Nous avons besoin de lui. Nous devons l'attendre ou abandonner notre projet et regagner nos terres.

– Je suis prêt à courir tous les risques!» rugit Yaris, dont les yeux lançaient des dards rageurs. «Mais vous – vous tous – vous vieillissez. On ne conquiert pas de tels trésors par la prudence et les calculs, mais par un assaut hardi et un prompt massacre.

– Fou!» La voix profonde de Dharmit résonna dans la salle, et son rire monta jusqu'aux voûtes léchées par les flammes claires. «Ainsi ai-je parlé, dans ma jeunesse... ainsi ai-je causé la perte d'une flotte puissante! Ce qui mettra Imrryr entre nos mains, c'est la ruse et le savoir d'Elric – c'est aussi notre flotte, la plus puissante qu'ait vue la Mer des Soupirs depuis que les bannières de Melniboné ont disparu des cités et des océans de la Terre. Nous voici – nous, les Seigneurs de la Mer, avec chacun plus de cent rapides vaisseaux. Nous sommes célèbres et redoutés; nos flottes ravagent les côtes de dizaines de nations. Nous avons la *force!*» Il serra son large poing et le brandit à la face de Yaris. Puis son ton devint d'une douceur vénéneuse, et il dévisagea le jeune homme avec un sourire cruel.

«Mais tout cela n'est rien, ne signifie rien, sans le pouvoir d'Elric, sans son Savoir, sa sorcellerie, puisqu'il faut prononcer ce mot maudit. Ses pères connaissaient le dédale qui protège Imrryr, la Cité qui Rêve, rêve en paix, et rêvera longtemps encore si personne ne nous guide dans les passes traîtresses qui mènent à ses ports. Nous avons *besoin* d'Elric – nous le savons, et il le sait. Voilà la vérité!

« – Une telle confiance, messieurs, me réchauffe le cœur! » Les six Seigneurs de la Mer tournèrent la tête vers l'entrée, où se tenait celui qui venait de parler d'une voix teintée de rire et d'ironie.

En rencontrant le regard d'Elric de Melniboné, Yaris sentit sa confiance l'abandonner. Le fin visage paraissait jeune, mais les yeux, des yeux sans âge, semblaient contempler l'éternité. Yaris frissonna et tourna le dos à Elric, préférant faire face à la vive lueur des flammes.

Elric accueillit avec un chaud sourire le comte Smiorgan qui venait lui donner l'accolade. Une solide amitié liait les deux hommes. Elric salua les quatre autres avec une certaine condescendance et avança vers le feu avec une grâce légère. Yaris se leva pour lui céder le passage. Elric était grand; ses épaules étaient larges, et ses hanches minces. Sa longue chevelure était ramenée sur la nuque et, pour d'obscures raisons, il arborait la tenue des barbares du Sud. Chaussé de bottes de daim souple montant jusqu'aux genoux, il portait un justaucorps de lin à carreaux blancs et bleus orné d'un pectoral d'argent curieusement travaillé, des braies de laine écarlate et une cape de velours vert bruissant au moindre mouvement. Et au côté il portait son épée runique d'acier noir – la redoutée *Stormbringer,* forgée à l'aide de charmes anciens et étranges du temps de la jeunesse de Melniboné.

Ce vêtement, criard et d'un goût douteux, se mariait mal avec son visage fin et sensible, avec ses mains aux longs doigts fragiles, mais il était la marque même de sa solitude – celle d'un étranger exclu de la compagnie des hommes. Cet accoutrement exotique était en fait superflu, car son visage et ses mains suffisaient à le singulariser.

Elric, dernier Seigneur de Melniboné, était un pur albinos qui tirait ses pouvoirs d'une source terrible et secrète.

Smiorgan poussa un soupir. « Alors, Elric, quand allons-nous piller Imrryr? »

Elric haussa les épaules : « Quand vous voudrez; peu m'importe. Mais auparavant, donnez-moi un peu de temps.

– Demain? Prendrons-nous la mer demain? » demanda Yaris d'une voix hésitante, conscient de l'étrange pouvoir qui dormait en l'homme qu'il avait peu avant accusé de traîtrise.

Elric balaya ces paroles d'un sourire. « Il me faut trois jours », dit-il. « Trois – au moins.

– Trois jours! Mais d'ici là Imrryr sera avertie de notre présence! » C'était le gras et prudent Fadan qui avait parlé.

« Je veillerai à ce que l'on ne découvre pas vos navires », promit Elric. « Mais d'abord, il faut que j'aille à Imrryr – et en revienne.

– En trois jours! C'est impossible! » Smiorgan était au comble de la stupéfaction. « Le navire le plus rapide ne le pourrait pas.

– Il me faudra moins d'un jour », affirma Elric calmement.

« Si vous le dites, je vous crois... » ne put que dire Smiorgan, « mais pourquoi faut-il que vous y alliez d'abord?

– J'ai mes raisons, comte Smiorgan. Mais n'ayez crainte, je ne vous trahirai pas. Je dirigerai l'expédition, vous pouvez y compter. » La lueur des flammes rendait son visage d'une pâleur mortelle plus effrayant encore, et ses yeux rouges ressemblaient à des braises ardentes. Il porta une main décharnée à la garde de son épée runique et sembla avoir du mal à respirer. « En esprit, Imrryr est tombée il y a cinq cents ans déjà... et bientôt elle tombera complètement, et à jamais! J'ai une dette à régler, et c'est pour cette seule raison que je vous aide. Vous le savez, je ne pose que quelques conditions : que la ville soit rasée jusqu'au sol, et qu'il ne soit fait aucun mal à mon cousin Yyrkoon et à sa sœur Cymoril... »

Yaris se sentait mal à l'aise. Ses rodomontades étaient dues en grande partie à la mort prématurée de son père; le jeune Yaris s'était soudain trouvé à la tête de vastes terres et d'une flotte qu'il ne se sentait pas tout à fait capable de commander – et il tentait de cacher son manque d'assurance par ses manières hardies. « Comment cacherons-nous la flotte, seigneur Elric? » demanda-t-il.

Le jeune Melnibonéen répondit à sa question. « Je m'en chargerai », promit-il, « mais il ne faut pas qu'il reste un homme à bord des navires. Y veillerez-vous, Smiorgan?

– Soit », grommela le comte, puis il se leva pour accompagner Elric.

Cinq hommes restèrent dans la salle surchauffée, en proie à de sinistres pressentiments.

« Comment pourrait-il cacher une pareille flotte, alors que nous, qui connaissons le fjord mieux que quiconque, n'avons pu trouver aucun lieu approprié? » dit Dharmit de Jharkor, abasourdi.

Aucun de ses compagnons ne lui fit écho. Tendus et nerveux, ils attendirent, tandis que mourait le feu. Enfin, Smiorgan revint, martelant le plancher de son pas lourd. Une sombre aura de peur l'entourait, presque tangible. Ses yeux étaient écarquillés, et un tremblement l'agitait, terrible, incontrôlable; son souffle était court et rauque.

« Alors? Elric a-t-il caché la flotte? » demanda fiévreusement Dharmit, négligeant l'état dans lequel se trouvait le comte.

« Il l'a fait. » Smiorgan n'en dit pas davantage, et sa voix était à peine audible, comme celle d'un homme brûlé par les fièvres.

Yaris sortit et essaya en vain d'apercevoir, contre les pentes escarpées du fjord, constellées de feux de camp, la silhouette des hautes mâtures.

« La brume est trop épaisse », murmura-t-il, « impossible

de voir si nos navires sont encore ancrés dans le fjord. »
Puis il eut un mouvement de recul involontaire en voyant
apparaître un visage d'une blancheur lunaire. « Salut,
seigneur Elric », bégaya-t-il. Il vit que les traits tirés du
Melnibonéen étaient couverts de sueur.

Elric entra dans la grande salle d'un pas incertain. « Du
vin », dit-il entre ses dents. « J'ai fait ce qui devait être fait,
et il m'en a coûté. »

Dharmit alla quérir une cruche d'épais vin de Cadsan-
drie et en emplit une coupe de bois sculpté. Il la tendit
silencieusement à Elric qui la vida d'un trait, puis alla
s'étendre dans un fauteuil et ramena sa cape verte autour
de lui. Il ferma ses étranges yeux rouges et sombra
instantanément dans un profond sommeil.

Fadan se hâta vers la porte et la ferma d'une lourde
barre de fer.

Aucun des six hommes ne dormit beaucoup cette nuit-là.
Au matin, la porte était ouverte et Elric avait disparu. Ils
sortirent; la brume était si compacte qu'ils se perdirent
bientôt de vue, bien qu'aucun ne se fût éloigné de plus d'un
pas.

Dressé sur la grève étroite, Elric contemplait l'entrée du
fjord. Il constata, satisfait, que le brouillard ne cessait de
s'épaissir, bien qu'il ne recouvrît que le fjord, dissimulant
la majestueuse flotte.

Partout ailleurs, le temps était clair, et un pâle soleil
d'hiver éclairait crûment les falaises déchiquetées de la
côte. Devant lui, la mer grise et pure se soulevait
paresseusement comme la poitrine d'un géant marin
endormi. Elric caressa les runes gravées sur la garde de son
épée d'acier noir. Le vent du nord, s'engouffrant dans son
ample cape, en faisait tournoyer les plis autour de sa mince
silhouette.

Il se sentait remis de son effort de la veille – il s'était épuisé à conjurer la brume. Versé dans l'art de la magie naturelle, il ne disposait cependant pas des réserves d'énergie que les Empereurs-Sorciers de Melniboné possédaient du temps où ils dominaient le monde. Ses ancêtres lui avaient transmis leur savoir, mais pas leur vitalité mystique et il ne pouvait se servir de bien des incantations et secrets qu'il connaissait, car la force physique et spirituelle nécessaire pour les mettre en œuvre lui manquait. Cependant, Elric ne connaissait qu'un seul homme capable de rivaliser avec lui : son cousin Yyrkoon. En pensant à lui, sa main se crispa plus fort autour de la garde de son épée, et il fit effort pour se concentrer sur la tâche qui l'attendait : prononcer les incantations qui devaient l'aider à gagner l'Ile des Princes-Dragons dont la seule ville, Imrryr la Belle, était l'objet de la réunion des Seigneurs de la Mer.

Sur la plage il y avait un petit voilier – celui d'Elric, infiniment plus ancien et plus robuste qu'il ne le paraissait. La mer descendait et c'était à peine si les vagues atteignaient sa poupe. Elric comptait qu'il ne lui restait que peu de temps pour accomplir cette magie salutaire.

Son corps se tendit et il ferma son esprit conscient, réveillant les secrets cachés dans les noires profondeurs de son âme. Oscillant comme un arbre dans le vent, le regard vide, les bras tendus devant lui décrivant des signes impies, il se mit à parler d'une voix sifflante et monocorde. Peu à peu, sa voix se fit aiguë comme le sifflement du vent pour hurler enfin jusqu'aux cieux, faisant frémir la texture même de l'air. Des ombres se formèrent lentement, bondissant autour du corps raidi d'Elric qui se mit à avancer d'un pas mécanique vers son bateau, sans cesser d'invoquer par ses hurlements inhumains les esprits élémentaires du vent : les *sylphes* de la brise, les *sharnahs*

**43**

qui font se lever le vent du large, les *h'Haarshanns* qui soulèvent les ouragans. Leurs formes imprécises tournoyaient autour de lui, répondant à l'appel des mots oubliés par lesquels les ancêtres d'Elric avaient, en des siècles lointains, conclu des pactes inconcevables afin d'obtenir l'aide des créatures élémentaires.

Elric monta à bord et, avec des gestes saccadés et inconscients, hissa la voile. Alors, une vague gigantesque naquit de l'onde placide et s'enfla, resta suspendue au-dessus de l'esquif puis s'abattit dans un fracas démoniaque, le souleva et l'emporta vers le large. Assis à la poupe, le regard vide, Elric psalmodiait inlassablement ses hideuses incantations, et les esprits de l'air tiraient sur la voile, et le bateau filait au ras de l'eau plus vite qu'aucun navire jamais gréé par des mortels. Et les hurlements assourdissants des esprits élémentaires libérés ne cessaient d'emplir l'espace autour du voilier. Bientôt, la côte disparut et la mer l'entoura de toutes parts.

Ce fut ainsi, avec pour compagnons les démons du vent, qu'Elric, dernier Prince de la Lignée Royale de Melniboné, arriva dans la dernière ville encore gouvernée par un homme de sa race – la dernière cité à conserver des vestiges de l'architecture melnibonéenne. Au bout de quelques heures, les premières tours apparurent au loin, d'un rose brumeux et d'un jaune subtil. Les esprits élémentaires quittèrent alors le voilier pour regagner leurs repaires entre les pics des plus hautes montagnes du globe, et Elric sortit de son état de transe pour regarder avec un émerveillement tout neuf la grâce légère des tours de sa ville dont une formidable barrière le séparait encore – le labyrinthe aux cinq portes, dédale de canaux ceints de hauts murs, dont un seul donnait accès au port intérieur d'Imrryr.

Elric connaissait parfaitement la route, mais il ne pouvait se risquer à entrer dans le port. Il décida d'échouer le voilier au fond d'une petite crique vers laquelle il guida le petit navire avec des gestes sûrs. Des collines surplombaient la crique, couvertes de buissons portant des baies bleues au puissant venin; leur jus rendait d'abord aveugle, puis fou. De même que d'autres plantes rares et néfastes, cette baie, nommée *nodoil*, ne poussait que près d'Imrryr.

De petits nuages bas s'étiraient rapidement dans le vent. Tout n'était que bleu, or, vert et blanc. En tirant son bateau sur la grève, Elric respira à pleins poumons l'air froid et pur de l'hiver, et huma l'odeur délicieuse des feuilles mortes et de l'humus. Quelque part, une renarde glapit du plaisir que lui donnait son compagnon; Elric se prit à regretter que sa race affaiblie ne fût plus capable d'apprécier la beauté de la nature, préférant rester près de sa cité et passant une bonne partie de son temps à somnoler sous l'effet des drogues. Ce n'était pas la cité qui rêvait, mais ses habitants sur-civilisés. En respirant les riches et pures odeurs de l'hiver, il fut heureux d'avoir renoncé aux droits de sa naissance, laissant à un autre le soin de régner sur la ville qui lui revenait de droit.

Oui, c'était son cousin Yyrkoon qui se vautrait sur le Trône de Rubis d'Imrryr la Belle, et il haïssait Elric car il savait que l'albinos, quel que fût son dégoût pour la couronne, n'en était pas moins le souverain légitime de l'Ile des Dragons et que lui, Yyrkoon, était un usurpateur et, selon la tradition melnibonéenne, un roi illégitime car Elric ne l'avait pas choisi pour accéder au trône.

Elric, lui, avait de meilleures raisons pour haïr son cousin. De bien meilleures raisons. Et pour cela, Imrryr, l'antique capitale de l'Ile, allait tomber dans toute sa magnificence, et le dernier bastion d'un glorieux Empire allait tomber avec ses tours roses, jaunes, pourpres et blanches... si Elric et les Seigneurs de la Mer réussissaient dans leur entreprise.

A pied, Elric s'engagea dans les terres, traversant les doux pâturages; le soleil étendit un voile d'ocre pâle sur le paysage, puis disparut pour faire place à une nuit sombre et sans lune, lourde de présages sinistres.

Il arriva enfin devant la cité, noire et sévère silhouette celant de somptueuses merveilles, parfaites dans leur conception comme dans leur exécution. C'était la cité la plus ancienne du monde, plutôt conçue en œuvre d'art qu'en habitat fonctionnel; mais Elric savait que la misère s'y cachait dans bien des ruelles et que les Seigneurs d'Imrryr, les Princes-Dragons – dont il était – laissaient inoccupées plusieurs des tours plutôt que d'y admettre la populace bâtarde. Il restait peu de Princes-Dragons, peu d'hommes qui pouvaient s'enorgueillir d'avoir du sang melnibonéen dans les veines.

Construite en respectant les courbes du terrain, la ville avait une apparence organique, et ses ruelles tortueuses montaient comme un accord de musique vers le palais dressé au sommet de la colline, couronné de multiples tours, chef-d'œuvre ultime de l'artiste anonyme qui avait dessiné la cité. Il n'émanait d'Imrryr la Belle nul son trahissant la vie, rien qu'une aura de désolation. La cité dormait – les Princes-Dragons, leurs dames et leurs esclaves personnels dormaient d'un sommeil drogué générateur de rêves de grandeur et d'horreur indicible, tandis que le reste de la population se retournait depuis le couvre-feu sur de vulgaires paillasses en essayant de ne pas rêver à sa sordide misère.

Elric, la main sur la garde de son épée, se glissa dans la ville par une porte isolée et monta prudemment par les rues sombres vers le grand palais du Yyrkoon.

Le vent soupirait entre les hautes Tours des Dragons et,

parfois, Elric devait se réfugier dans l'ombre lorsque passaient de leur pas lourd les hommes de la garde, dont le soin était de veiller à ce que soit respecté le couvre-feu. Souvent, des rires sauvages se faisaient écho dans les quelques tours encore occupées, et des ombres fantastiques et troublantes se projetaient à la lumière des torches; souvent aussi, il entendait un hurlement atroce, un beuglement frénétique et idiot, lorsque quelque pauvre diable d'esclave connaissait une mort obscène pour plaire à son maître.

Ce qu'il voyait et entendait n'épouvantait pas Elric. Il aimait ces cris d'agonie, et parfois souriait cruellement en les entendant. Il était Melnibonéen – et dans son esprit, cela lui donnait le droit d'aimer ce qui choquerait des hommes de moindre étoffe. Il était resté Melnibonéen – et pouvait même, s'il le désirait, devenir leur roi de droit divin. Bien qu'il fût attiré par le vagabondage et les plaisirs les moins sophistiqués de cette terre, il avait hérité de dix mille années d'une culture cruelle, brillante et maléfique dont le pouls battait encore fortement dans ses veines affaiblies. Il était sorcier et, dans la pratique de son art, avait maintes fois, et de maintes façons perverses, versé le sang.

Elric frappa impatiemment à la lourde porte d'ébène située à l'arrière du palais. Il surveillait prudemment les alentours, car il savait que Yyrkoon avait donné aux gardes ordre de l'abattre si jamais il entrait dans Imrryr.

On tira un verrou grinçant à l'intérieur, et la porte s'ouvrit silencieusement. Un visage pâle et ridé apparut.

« Est-ce le roi? » murmura l'homme en fouillant les ténèbres du regard. C'était un individu extrêmement maigre et grand avec des membres longs et noueux qui s'agitèrent de façon disgracieuse tandis qu'il s'approchait d'Elric pour mieux le voir.

« C'est le prince Elric », dit l'albinos. « Tu oublies, Choquepattes mon ami, qu'un autre roi siège sur le Trône de Rubis. »

Choquepattes secoua la tête et ses cheveux retombèrent sur son visage. Il les rejeta en arrière d'un geste brusque puis s'effaça pour laisser entrer Elric. « L'Ile des Dragons n'a qu'un roi — et son nom est Elric, quoi qu'en dise l'usurpateur. »

Elric sourit sans répondre tandis que l'homme repoussait le verrou.

« Elle dort toujours, sire », dit Choquepattes en montant de sombres escaliers, suivi par Elric.

« Je m'en doutais. Je ne sous-estime pas les pouvoirs de mon bon cousin. »

Les deux hommes continuèrent à monter en silence, jusqu'à un couloir éclairé par des torches vacillantes, dont les flammes étaient réfléchies par des murs de marbre poli. Elric et Choquepattes, cachés derrière un pilier massif, virent que la porte qui les intéressait était gardée par un solide archer — apparemment un eunuque — alerte et éveillé. Il était chauve et sa brillante armure d'acier bleu épousait ses formes grasses; mais ses doigts tenaient fermement le court arc d'os, maintenant une svelte flèche sur la corde. Elric vit qu'il s'agissait d'un des meilleurs archers eunuques, d'un membre de la Garde Silencieuse qui rassemblait les meilleurs guerriers d'Ymrryr.

Choquepattes, qui avait enseigné au jeune Elric l'art de l'escrime et du tir à l'arc, savait qu'il y aurait un garde et avait pris ses dispositions. Auparavant, il avait caché un arc derrière le pilier; il se baissa silencieusement pour le ramasser puis le tendit contre son genou, plaça une flèche contre la corde puis, visant l'œil droit du garde, lâcha le trait à l'instant même où l'eunuque se tournait vers lui. La flèche vint frapper le collet de l'armure et tomba au sol.

Elric agit instantanément; il s'élança en avant en dégainant et l'étrange pouvoir de son épée runique se communiqua à son corps. En un hurlement, l'acier noir décrivit un grand cercle et trancha l'arc d'os que l'eunuque avait levé pour se protéger. Haletant, le garde ouvrit ses lèvres épaisses et Elric put voir, comme il s'y attendait, que l'homme avait la langue coupée. Il sortit son court sabre juste à temps pour parer le coup suivant. Les étincelles jaillirent lorsque *Stormbringer* mordit dans la lame finement aiguisée de l'eunuque qui chancela et dut reculer devant l'épée nécromane qui semblait douée d'une vie propre. Le fracas du métal résonna dans le couloir et Elric maudit le sort qui avait voulu que l'homme se retournât au moment crucial. Avec un acharnement méthodique, il perça la garde maladroite de l'eunuque.

Le garde voyait à peine son adversaire derrière la lame tourbillonnante qui, bien que deux fois plus longue que la sienne, paraissait incroyablement légère. Avec épouvante, il se demanda qui était son agresseur, et crut reconnaître son visage. Puis une brume écarlate voila son champ de vision cependant qu'une douleur atroce étreignait son visage, alors, avec le fatalisme propre aux eunuques, il comprit qu'il allait mourir.

Elric, debout au-dessus du corps gonflé de l'eunuque, retira l'épée de son crâne, puis essuya le mélange de sang et de cervelle sur la cape de son défunt adversaire. Prudemment, Choquepattes s'était éclipsé – Elric pouvait entendre le bruit de ses sandales dans les escaliers. Il ouvrit la porte et pénétra dans une chambre éclairée par deux petites chandelles placées de part et d'autre d'un grand lit tendu de riches tapisseries. Il alla vers le lit et regarda la jeune fille aux cheveux d'un noir de jais qui y était étendue.

Les lèvres d'Elric frémirent et des larmes jaillirent de

ses étranges yeux rouges. Tremblant, il rengaina son épée, alla verrouiller la porte, puis revint s'agenouiller au chevet de la jeune fille. Ses traits délicats semblaient coulés dans le même moule que ceux d'Elric, mais une rare perfection venait s'y ajouter. Elle respirait superficiellement dans son sommeil qui avait pour cause non pas la fatigue mais la noire sorcellerie de son propre frère.

Elric prit tendrement une des fines mains dans les siennes, puis la porta à ses lèvres et l'embrassa.

« Cymoril », murmura-t-il, et ce nom fit frémir sa voix de désir contenu, « Cymoril, éveille-toi. »

La jeune fille ne bougea pas; sa respiration ne varia pas; ses paupières restèrent closes. Les traits pâles d'Elric se tordirent et ses yeux rouges lancèrent des éclairs tandis qu'une rage terrible et passionnée agitait tout son corps. Il serra la main, molle et inerte comme celle d'un cadavre, la serra, puis se contrôla de peur d'écraser ces doigts délicats.

Un soldat martela la porte en criant.

Elric reposa la main sur le sein de la jeune fille et se leva, regardant la porte sans comprendre.

Une voix dure et froide interrompit les cris du soldat.

« Que se passe-t-il? Quelqu'un a-t-il tenté de voir ma pauvre sœur endormie?

— Yyrkoon, le noir fils de l'enfer », murmura Elric.

Le soldat répondit de façon confuse, puis la voix de Yyrkoon s'éleva, tout près de la porte : « Qui que vous soyez, vous mourrez mille morts lorsque vous serez pris. Vous ne vous échapperez pas. Et si le moindre mal a été fait à ma douce sœur, je vous promets que vous ne mourrez jamais — mais vous prierez vos dieux pour hâter votre fin!

— Yyrkoon, misérable canaille! Comment oses-tu menacer celui qui est ton égal dans les arts ténébreux! Je suis

Elric, ton souverain. Retourne dans ton terrier avant que j'invoque l'aide de toutes les forces mauvaises vivant sur, sous, et au-dessus de la Terre! »

Yyrkoon eut un rire incertain. « Ah, tu es donc revenu pour tenter de réveiller ma sœur, Elric? Tu n'y parviendras jamais. Moi seul connais la façon de la réveiller. Toute tentative de ta part ne fera que la tuer – pire, précipitera son âme au plus profond des enfers, où tu iras de ton propre gré la rejoindre!

– Yyrkoon, rejeton d'un ver nécrophage, tu te repentiras de ce vil enchantement avant que ton temps soit écoulé! Si tu crois pouvoir, par un philtre, empêcher Cymoril et moi de nous aimer, c'est que tu es pire encore que l'imbécile bavard que je connaissais! Par les six mamelles d'Arnara, je t'en fais le serment – ce sera toi qui connaîtras les mille morts avant longtemps.

– Suffit », répondit Yyrkoon. « Soldats, enfoncez cette porte et prenez vivante la canaille qui se trouve à l'intérieur. Elric, le serment que je te fais, c'est que plus jamais tu ne posséderas l'amour de ma sœur et le Trône de Rubis. Profite du peu de temps qui te reste, car bientôt tu ramperas devant moi en me suppliant de faire cesser la torture qui ravagera ton âme. »

Elric ignora les menaces de Yyrkoon et examina l'étroite fenêtre : elle était tout juste assez large pour livrer passage à un homme. Il se pencha pour embrasser Cymoril sur les lèvres, puis alla silencieusement tirer les verrous.

Un soldat se jeta de tout son poids sur la porte, qui s'ouvrit avec un bruit fracassant, et l'homme tomba en avant. Elric dégaina, leva haut son épée et l'abattit sur la nuque du guerrier, dont la tête alla rouler sur le sol. Puis, d'une voix incantatoire et vibrante :

« *Arioch! Arioch!* Je t'offre du sang et des âmes – donne-moi ton aide maintenant! Puissant Seigneur de l'Enfer, je te fais don de cet homme – viens aider ton serviteur, Elric de Melniboné! »

Trois soldats entrèrent dans la chambre. Elric fendit le visage du premier, qui poussa d'horribles hurlements.

« Arioch, Seigneur des Ténèbres, je t'offre du sang et des âmes. Aide-moi, Esprit Malin! »

Au fond de la chambre, une brume sombre commençait à se former lentement. Mais les soldats avançaient et Elric avaient fort à faire pour les repousser.

Il ne cessait de hurler le nom d'Arioch, Seigneur de l'Enfer du Haut, mais peu à peu reculait devant le nombre de ses assaillants. Derrière eux, Yyrkoon donnait voix à sa rage, sans cesser d'exhorter ses hommes à prendre Elric vivant. Cette condition donnait un léger avantage à Elric – ainsi qu'à son épée runique *Stormbringer* qui luisait d'une étrange luminescence noire et émettait un hurlement aigu à faire grincer les dents. Deux nouveaux cadavres jonchaient maintenant les tapis de la chambre et leur précieux tissu se gorgeait de sang.

« *Du sang et des âmes pour mon seigneur Arioch!* »

La brume noirâtre se souleva et commença de prendre forme. Elric y jeta un bref coup d'œil et frémit de tout son être, bien qu'il fût accoutumé aux horreurs infernales. Elric était près de la fenêtre et les guerriers tournaient le dos à la masse amorphe qui emplissait tout un coin de la pièce – elle bougea de nouveau et Elric distingua nettement sa forme intolérablement inhumaine. Sa bouche s'emplit de fiel tandis qu'il poussait les soldats vers la chose qui s'avançait sinueusement, et il dut lutter contre la folie qui menaçait de s'emparer de lui.

Soudain, les soldats durent sentir qu'il y avait quelque chose derrière eux. Ils se retournèrent et hurlèrent comme des forcenés tandis que la brume immonde s'avançait pour les engloutir. Arioch s'accroupit au-dessus d'eux et suça leur âme. Puis, très lentement, leurs os cédèrent et, hurlant comme des bêtes, les hommes tombèrent à terre comme de repoussants invertébrés; bien que leur colonne vertébrale fût brisée, ils vivaient toujours. Elric se détourna, heureux pour une fois du sommeil de Cymoril, et bondit vers la fenêtre. Il regarda à l'extérieur et vit avec désespoir qu'il ne pourrait pas, comme il l'avait escompté, s'enfuir par ce chemin : près de cent mètres le séparaient de la chaussée. Il se précipita vers la porte où Yyrkoon, les yeux exorbités par la peur, tentait de repousser Arioch vers la fange dont il était issu... et y parvenait.

Elric jeta un dernier coup d'œil à Cymoril, passa devant son cousin puis repartit comme il était venu, glissant sur le sol visqueux de sang. Choquepattes l'attendait en haut du sombre escalier.

« Que se passe-t-il, roi Elric? Qu'y a-t-il dans la chambre? »

Elric saisit Choquepattes par ses épaules osseuses et l'entraîna dans l'escalier. « Plus tard », haleta-t-il. « Nous devons profiter de ce que Yyrkoon est occupé. Dans cinq jours Imrryr connaîtra une nouvelle phase de son histoire – la dernière, sans doute. Je te charge de veiller à ce qu'il n'arrive rien à Cymoril. Est-ce clair?

– Oui, seigneur, mais... »

Ils arrivèrent à la porte que Choquepattes se hâta de déverrouiller.

« Je ne puis en dire davantage. Il faut que je parte pendant qu'il est temps. Je reviendrai dans cinq jours – avec des compagnons. Tu comprendras alors ce que je veux dire. Emmène Cymoril à la Tour de D'a'rputna, et attends-moi là. »

Puis Elric disparut prestement dans la nuit, suivi par les cris des mourants qui résonnaient toujours entre les tours.

Silencieux, Elric se tenait à la proue du navire amiral du comte Smiorgan. Depuis son retour au fjord, et tandis que les vaisseaux appareillaient, il n'avait ouvert la bouche que pour donner des ordres brefs. Les Seigneurs de la Mer murmuraient qu'une grande haine l'habitait, qui empoisonnait son âme, et qu'il était dangereux de l'avoir pour ennemi ou pour camarade; même le comte Smiorgan évitait le sombre albinos.

Les proues des navires pirates étaient tournées vers le levant. La mer était noire de voiliers légers dansant sur l'onde claire, comme l'ombre d'un gigantesque oiseau de mer. Il y en avait près de cinq cents – tous longs et minces, conçus pour la vitesse plutôt que pour la bataille, car ils étaient destinés au commerce et au pillage des villes côtières. Le pâle soleil éclairait les fraîches couleurs des voiles : orange, bleu, noir, pourpre, jaune, vert pâle et blanc. Chaque navire avait au moins seize rameurs, tous des guerriers – on ne gaspillait pas les hommes, car les nations de la mer étaient sous-peuplées; elles perdaient chaque année des centaines d'hommes au combat.

Quelques navires de plus grande taille occupaient le centre de la flotte. De grandes catapultes étaient montées sur leurs ponts, destinées à démanteler la grande digue d'Imrryr. Le comte Smiorgan et les autres Seigneurs contemplaient avec fierté leurs navires – seul Elric gardait le regard fixé sur la mer. Il ne dormait ni ne mangeait, et restait presque toujours immobile, le visage lavé par les embruns et fouetté par les vents, sa main blanche crispée sur la garde de son épée.

Les navires pirates faisaient voile vers l'est – vers l'Ile des Dragons et ses fantastiques richesses – ou ses infernales horreurs. Sans ralentir, poussés par un destin implacable, les rameurs abattaient leurs rames à l'unisson, et un vent favorable gonflait les voiles.

Chaque heure les rapprochait d'Imrryr la Belle, pour piller et violer la ville la plus ancienne du monde.

Deux jours après leur départ, les côtes de l'Ile des Dragons apparurent à l'horizon. Le cliquetis des armes remplaça le battement monotone des rames; la puissante flotille se mit à la cape et se prépara à l'impossible.

Des porte-voix transmirent les ordres d'un navire à l'autre et la flotte commença à se mettre en formation de bataille; on amena les voiles, les rames grincèrent et, lourdement, la flotte s'ébranla.

Il faisait un froid vif et sec. Tous étaient au comble de l'excitation, des Seigneurs de la Mer au dernier homme d'équipage. Tous pensaient à ce que l'avenir immédiat leur réservait. Les proues sinueuses faisaient face à la grande muraille qui défendait la première entrée du port. Elle avait près de trente mètres de haut et à intervalles réguliers étaient disposées des tours d'un aspect plus utilitaire que les flèches de dentelle qui brillaient dans le lointain. Seuls les navires d'Imrryr avaient le droit de passer par la grande porte centrale, et le labyrinthe de canaux qui suivait était un secret bien gardé.

Au sommet de la digue, qui surplombait maintenant les navires assemblés, les gardes affolés couraient à leurs postes. Une attaque leur paraissait indispensable – et pourtant, là, devant leurs yeux, la flotte la plus immense qu'ils aient jamais vue arrivait contre Imrryr la Belle! Leurs kilts et leurs capes jaunes bruissaient dans le vent, leurs armures de bronze s'entrechoquaient, et ils gagnaient leurs postes avec stupéfaction et répugnance, comme s'ils se refusaient à admettre ce qu'ils voyaient. Ils agissaient avec une résignation désespérée, car ils savaient que même si les navires ennemis ne réussissaient pas à franchir le labyrinthe, eux-mêmes ne seraient plus en vie pour assister à la défaite des pirates.

Dyvim Tarkan, Commandeur de la Muraille, était un homme délicat qui aimait les plaisirs de la vie. Son front était haut et beau; il portait une mince moustache et une mouche au menton. Il avait belle allure, avec son armure de bronze et son casque orné d'un panache; et il ne voulait pas mourir. Il donna des ordres brefs à ses hommes, qui lui obéirent avec ordre et précision. Il écouta avec inquiétude les cris qui montaient des navires, se demandant quel serait le premier mouvement des assaillants. La réponse ne tarda pas.

La catapulte d'un des vaisseaux de tête vibra comme une gigantesque corde de violoncelle et son bras fut libéré, projetant un gros rocher qui décrivit une courbe lente et harmonieuse vers la muraille. Il tomba court et alla s'abîmer dans la mer en soulevant des gerbes d'eau.

S'efforçant de contrôler le tremblement de sa voix, Dyvim Tarkan ordonna que l'on coupe la corde libérant leur propre catapulte. Avec un bruit sourd, un boulet de métal alla voler vers la flotte ennemie. Les navires étaient si serrés que le coup ne pouvait manquer : le boulet tomba au beau milieu du pont du navire amiral de Dharmit de Jharkor, fracassant la charpente. En quelques secondes, le navire coula, accompagné par les cris des blessés et des hommes qui se noyaient. Quelques-uns furent recueillis par les autres navires, mais on ne s'encombra pas des blessés; Dharmit ne fut pas retrouvé.

Un autre catapulte résonna; cette fois, une tour pleine d'archers fut frappée de plein fouet. Maçonnerie et soldats mêlés furent précipités dans la mer écumeuse où les survivants connurent une lente mort. Courroucés par la mort de leurs camarades, les archers d'Imrryr lancèrent des volées de flèches avides qui vinrent s'enfoncer dans les chairs des pirates. Au milieu des cris de douleur, ils répondirent par un tir nourri et bientôt il ne resta plus qu'une poignée d'hommes sur la muraille – les rochers lancés par les catapultes écrasèrent tours et soldats, détruisant leur unique engin de guerre et une partie de la muraille elle-même.

Dyvim Tarkan était toujours vivant, mais sa tunique jaune était tachée de sang et la hampe d'une flèche saillait de son épaule gauche. Il vivait encore lorsqu'un premier navire éperonna la grande porte de bois, parvenant à l'ébranler. Puis un second navire joignit ses efforts au premier et à eux deux ils enfoncèrent la porte et la glissèrent dans l'entrée – c'était les premiers navires étrangers à y pénétrer. Peut-être à cause de l'horreur que lui causait cet outrage, le pauvre Dyvim Tarkan perdit l'équilibre et tomba par-dessus le bord de la muraille en hurlant, pour venir s'écraser sur le pont du navire amiral de Smiorgan alors que celui-ci passait triomphalement la porte. Les autres navires lui cédèrent le passage, car Elric devait les guider dans le labyrinthe.

Cinq entrées sombres et béantes s'ouvraient devant eux, identiques l'une à l'autre. Elric désigna la troisième à partir de la gauche, et prudemment, les rameurs dirigèrent le vaisseau dans la bouche ténébreuse. Pendant plusieurs minutes, ils avancèrent en aveugles.

« Allumez les flambeaux! » dit Elric.

Les torches qui avaient été préparées furent allumées, et les hommes virent qu'ils se trouvaient dans un vaste tunnel creusé dans le roc, formant un dédale tortueux et complexe.

« Restez groupés », ordonna Elric, et sa voix résonna avec force dans la caverne. A la lumière aveuglante des torches, son visage était fait d'ombres et de taches blanches. Derrière lui, des murmures terrifiés s'élevaient parmi les hommes, tandis que le reste de la flotille arrivait et que partout de nouvelles torches s'allumaient, dont la flamme vacillante trahissait la peur superstitieuse de ceux qui les portaient. Elric perçut également une certaine incertitude dans les gestes lents des rameurs; à la lumière des torches, ses yeux brillaient d'une lueur fiévreuse.

Il y eut la terrible monotonie du battement des rames. Puis, le tunnel s'élargit et plusieurs ouvertures apparurent dans une paroi rocheuse. « L'entrée du milieu », ordonna Elric. A l'arrière, l'homme de barre inclina silencieusement la tête et dirigea le navire dans la direction indiquée. En dehors de quelques murmures étouffés et du bruit des rames frappant l'eau, le silence était total.

Elric se pencha pour regarder les eaux noires et calmes, et frissonna.

Après un temps qui leur parut interminable, ils retrouvèrent enfin la lumière du soleil, et les hommes levèrent des yeux étonnés sur les hautes murailles qui enfermaient le canal. Au sommet se trouvaient d'autres archers vêtus de capes jaunes et d'armures de bronze et, tandis que le vaisseau du comte Smiorgan sortait de la sombre caverne, les torches encore allumées, les flèches se mirent à pleuvoir, s'enfonçant sauvagement dans les membres et les nuques des pirates.

« Plus vite! » hurla Elric. « Ramez plus vite! La vitesse est notre seule arme! »

Les rameurs courbèrent le dos et firent des efforts frénétiques. Les navires glissèrent plus rapidement dans les eaux immobiles du canal, mais les flèches des archers d'Imrryr n'en firent pas moins de nombreuses victimes. Entre ses hautes parois, le canal s'étendait maintenant en ligne droite et Elric aperçut au loin les quais d'Imrryr.

*« Vite! Plus vite! Notre but est en vue! »*

Puis, soudain, les murs cessèrent et le navire entra dans les eaux calmes du port, face aux guerriers alignés sur le quai. Et il s'immobilisa, attendant que les renforts arrivent du canal. Dès que vingt navires furent là, Elric donna l'ordre d'attaquer, et *Stormbringer* sortit en mugissant de son fourreau. Le navire amiral manœuvra sous une pluie de flèches et accosta le quai par bâbord. Miraculeusement indemne, Elric sauta sur le quai avec une poignée de pirates poussant des cris terrifiants. Des guerriers armés de haches leur firent face, mais il était visible qu'ils n'avaient pas le cœur à se battre – le cours récent des événements les avait par trop déconcertés.

La lame noire d'Elric frappa leur chef avec une force démesurée, lui coupant net la tête. Ayant de nouveau goûté le sang, l'épée hurla de façon démoniaque et se tordit dans la main d'Elric, cherchant de nouvelles victimes. Un sourire sinistre tordait les lèvres incolores de l'albinos qui, les yeux mi-clos, frappait sans discrimination.

Il avait toutefois l'intention de laisser la bataille aux soins de ceux qu'il avait menés jusqu'ici, ce qu'il avait à faire ne pouvait attendre. Derrière les capes jaunes des soldats s'élevaient les hautes et belles tours d'Imrryr, scintillant doucement de rose corail, de bleu poudré, d'or et de jaune pâle, de blanc et de vert diaphane. Une de ces tours était l'objectif d'Elric – celle de D'a'rputna, où il avait ordonné à Choquepattes d'emmener Cymoril en profitant de la confusion générale.

Elric se fraya un chemin sanglant dans les rangs de ceux qui s'opposaient à son avance; les hommes tombaient avec des hurlements atroces lorsque l'épée runique buvait leur âme.

Il laissa les guerriers derrière lui, les abandonnant aux lames brillantes des pirates qui se déversaient sur le quai et monta en courant les ruelles sinueuses, abattant quiconque tentait de l'arrêter, pareil à un vampire au blanc visage, dans son armure gardant la trace de nombreux coups. Enfin, il arriva au pied d'une fine tour d'or doux et de bleu brumeux – la tour de D'a'rputna. La porte était ouverte, mais personne ne le salua dans la grande salle.

« Choquepattes! » hurla-t-il si fort que sa voix résonna douloureusement dans ses oreilles. « Choquepattes! Es-tu là? » Il monta les escaliers quatre à quatre, sans cesser de crier le nom de son serviteur. Au troisième étage, il s'arrêta brusquement en entendant un gémissement sortir d'une des chambres. « Choquepattes? Est-ce toi? » Elric alla vers la chambre et entendit un râle étouffé. Il l'ouvrit et sentit son estomac se tordre lorsqu'il vit le vieillard gisant sur le sol, faisant de vains efforts pour juguler le flot de sang qui coulait d'une large plaie qu'il portait au côté.

« Que s'est-il passé, ami? Où est Cymoril? »

Le visage ridé de Choquepattes grimaça de douleur et de regret. « Elle... je... je l'ai amenée ici, maître... comme vous l'aviez ordonné. Mais... » Il toussa, et un filet de sang coula sur son menton fripé. « Mais... Le prince Yyrkoon. Il... a dû me suivre. Il m'a frappé... a emmené Cymoril avec lui... disant... qu'elle serait en sécurité... dans la tour de B'aal'nezbett. Maître... je regrette...

– Oh, je l'espère », répliqua violemment Elric. Puis son ton se radoucit : « N'aie crainte, mon vieil ami, je te vengerai, et je me vengerai. Je retrouverai Cymoril, maintenant que je sais où Yyrkoon l'a emmenée. Merci d'avoir essayé, Choquepattes. Que la longue descente du dernier fleuve te soit aisée. »

Il fit volte-face et descendit les escaliers en bondissant.

La tour de B'aal'nezbett était la plus haute du Palais Royal. Elric la connaissait bien, car c'était ici que ses ancêtres avaient étudié la magie noire et tenté d'épouvantables expériences. Il frissonna en songeant à ce que Yyrkoon pouvait être en train de faire à sa propre sœur.

Les rues de la ville étaient désertes et étrangement silencieuses, mais Elric ne s'attarda pas à en chercher la cause. La porte du Palais n'était même pas gardée, et personne ne hantait l'antichambre. C'était sans précédent, mais tout en faveur d'Elric, qui monta les escaliers familiers menant à la plus haute tour.

Il parvint enfin à une porte de cristal noir et scintillant, qui n'avait ni serrure ni poignée. Elric la frappa rageusement de sa lame enchantée mais ses coups restèrent sans effet : le cristal semblait fondre puis se reformer.

Elric fouilla son esprit pour se souvenir du mot unique qui ouvrirait cette porte. Comme il n'osait se plonger dans les transes qui amèneraient ce mot à ses lèvres, il dut plonger dans les recoins les plus obscurs de son inconscient pour l'y trouver. C'était dangereux, mais il n'avait pas le choix. Les traits tordus et baignés de sueur, le corps saisi d'un tremblement incontrôlable, le cerveau torturé, ses poumons se soulevèrent, ses cordes vocales frémirent, et douloureusement jaillit le mot. Puis il s'écria :

« Ouvre-toi, je te l'ordonne! »

Il savait que son cousin serait averti de sa présence dès que la porte s'ouvrirait, mais il devait prendre ce risque. Le cristal se gonfla rythmiquement, bouillonna, puis commença de couler... de couler dans le néant, dans une dimension située au-delà de l'univers physique, au-delà du temps. Elric soupira de soulagement en pénétrant dans la tour de B'aal'nezbett. Il monta vers la salle centrale en luttant contre d'étranges flammes glaciales qui ébranlaient son esprit, accompagné par une musique inquiétante dont les sanglots rythmiques résonnaient dans sa tête.

Il vit apparaître Yyrkoon au-dessus de lui, le regard mauvais, brandissant une épée runique d'acier noir, la jumelle de celle d'Elric.

« Rejeton de l'enfer! » articula Elric d'une voix étranglée, « je vois que tu as retrouvé *Mournblade* – eh bien, essaie ses pouvoirs contre sa pareille, si tu l'oses. Je suis venu te détruire, cousin! »

*Stormbringer* émettait un gémissement aigu qui couvrait la musique stridente et surnaturelle qui accompagnait les flammes de glace. L'épée runique se tordait dans la main d'Elric, qui avait du mal à la contrôler. Rassemblant toutes ses forces, il monta les dernières marches et frappa Yyrkoon d'un coup violent. Derrière le feu magique, de la lave jaune verdâtre se mit à bouillonner, s'étendant de tous côtés. Les deux hommes étaient entièrement entourés maintenant par le feu fuligineux et la lave en fusion – ils n'étaient plus sur Terre, et s'affrontaient en une bataille décisive. La lave coula vers les flammes qu'elle *dispersait* au lieu de les engloutir.

Les deux lames se touchèrent avec un hurlement suraigu. Elric sentit son bras s'engourdir et battre douloureusement. Il se sentait pareil à un pantin – il n'était plus maître de ses actions; son épée agissant seule. La lame qu'Elric tenait à peine franchit en mugissant la garde de sa jumelle et entailla profondément le bras gauche de Yyrkoon, qui hurla de douleur. *Mournblade* frappa à son tour, évitant *Stormbringer* et blessant Elric à l'endroit précis où il avait atteint son cousin. Il étouffa un sanglot de douleur, mais continua à avancer, blessant Yyrkoon au flanc droit d'un coup dont la force aurait tué tout autre homme. Yyrkoon éclata alors d'un rire délirant comme un démon hantant les plus immondes fosses de l'enfer. Il avait fini par perdre la raison, et Elric avait l'avantage. Mais les hautes sorcelleries que son cousin avait conjurées continuaient à se manifester et Elric, qui était couvert du sang jaillissant de la blessure de Yyrkoon, eut l'impression qu'un géant l'écrasait contre le sol. La lave se retirait lentement et Elric put voir l'entrée de la salle centrale. Une silhouette bougea derrière son cousin. Elric sursauta de surprise. Cymoril était réveillée et, les yeux agrandis d'horreur, lui criait quelque chose.

L'épée décrivit un arc noir, abaissant la garde de l'usurpateur.

« Elric! » cria Cymoril avec désespoir, « Sauve-moi, sauve-moi maintenant, sinon nous sommes perdus pour l'éternité. »

Elric écouta avec stupéfaction ces paroles dont il ne pouvait deviner le sens. Sauvagement, il contraignit Yyrkoon à reculer vers la salle.

« Elric... lâche *Stormbringer!* Rengaine, ou nous serons de nouveau séparés. »

Mais, même s'il avait encore eu le contrôle de la furieuse lame noire, Elric n'aurait pas rengainé, car son être était dominé par la haine, et le cœur de son cousin était le seul fourreau où il voulait l'enfoncer.

Cymoril pleurait maintenant, et le suppliait. Mais Elric était impuissant. La chose imbécile et délirante qu'était devenu Yyrkoon d'Imrryr se tourna vers sa sœur et la regarda avec haine. Il ricana affreusement et saisit la jeune fille d'une main tremblante. Cymoril essaya de se dégager, mais Yyrkoon avait gardé sa force démoniaque. Profitant du manque d'attention de son adversaire, Elric frappa un coup terrible, le coupant presque en deux au niveau de la taille.

Et pourtant, aussi incroyable que ce fût, Yyrkoon vivait encore, tirant sa vitalité de la lame qui frappait toujours l'épée gravée de runes d'Elric. Dans un ultime effort, il poussa Cymoril en avant et elle mourut en hurlant, empalée sur la pointe de *Stormbringer*.

Puis, Yyrkoon poussa un dernier hurlement, aigu et saccadé, et son âme ténébreuse fut précipitée en enfer.

Le feu et la lave disparurent. La tour reprit son aspect

normal. Elric était plongé dans une profonde stupéfaction, et ses pensées ne lui obéissaient plus. Il regardait fixement les cadavres du frère et de la sœur, ne voyant d'abord que deux corps – un homme et une femme.

Puis son cerveau s'éclaircit et, prenant conscience de l'atroce vérité, il gémit comme un animal blessé. Il avait tué la femme qu'il aimait. L'épée runique lui échappa de la pain – sa lame noire était tachée du sang de Cymoril – et tomba avec bruit dans les escaliers. Sanglotant amèrement, il se laissa tomber à côté de la jeune morte et la prit dans ses bras.

« Cymoril », gémit-il, le corps agité de soubresauts. « Cymoril... je t'ai tuée. »


Elric se retourna vers les ruines fumantes d'Imrryr; ici et là, des flammes jaillissaient encore et des murs s'écroulaient. Les voiles n'étaient toujours pas mises, et il pressa ses rameurs en sueur. Le navire tangua brusquement en rencontrant un courant contraire et Elric dut se tenir au bastingage pour ne pas être précipité par-dessus bord. Sa gorge se serra en regardant ce qui restait d'Imrryr; maintenant, il était totalement déraciné, à la fois renégat et tueur de femmes, quoique l'acte n'eût pas été volontaire. Dans son aveugle soif de vengeance, il avait perdu la seule femme qu'il aimait. Et maintenant, c'était la fin, la fin de tout. Il ne pouvait envisager aucun avenir, car l'avenir est lié au passé, et maintenant, ce qui restait du passé brûlait devant ses yeux. Des sanglots soulevèrent sa poitrine, mais il n'avait plus une larme.

Son esprit ne pouvait pas se détacher de Cymoril. Il l'avait étendue sur un lit, puis avait mis le feu à la tour. Ensuite il était sorti; de toutes parts, les pirates victorieux regagnaient les navires, traînant un riche butin et de jeunes esclaves, pleins d'un joyeux délire et mettant le feu aux plus beaux bâtiments de la ville.

A cause de lui, le dernier témoignage tangible de la grandiose existence du Glorieux Empire avait été détruit. Il sentait partir avec lui la plus grande partie de son être.

Il continuait à regarder Imrryr, et soudain une profonde tristesse l'envahit en voyant s'écrouler dans les flammes une haute tour, belle et délicate comme de la dentelle.

C'était le dernier et le plus grand monument de la race ancienne – de *sa* race. Et il l'avait détruit. Un jour, les hommes auraient pu réapprendre à bâtir des tours aussi fortes et aussi gracieuses que celles d'Imrryr, mais maintenant ce savoir mourait à jamais dans le chaos et le tonnerre de la chute de la Cité qui Rêve et des derniers représentants de la race de Melniboné.

Mais qu'en était-il des Princes-Dragons? Il ne les avait pas vus, ni leurs navires dorés. Seuls les fantassins avaient défendu la ville. Avaient-ils caché leurs bateaux dans quelque canal secret et pris la fuite lorsque les pirates avaient envahi la ville? La victoire avait été infiniment trop aisée. Préparaient-ils une soudaine vengeance? Allaient-ils appeler les dragons à leur aide? Elric frissonna. Oui, sans doute avaient-ils ce plan. Ils n'avaient pas parlé aux autres des Bêtes que les Melnibonéens avaient domestiquées depuis des siècles. En ce moment même, quelqu'un ouvrait peut-être les portes des Cavernes des Dragons. Il repoussa cette effrayante pensée.

La flotte faisait voile vers le large, mais les yeux d'Elric étaient toujours fixés sur Imrryr, et silencieusement il rendait hommage à la cité de ses ancêtres et à la morte Cymoril. Une amertume brûlante l'envahit au souvenir de sa propre épée la tuant. Puis, pareil aux grondements lointains du tonnerre, un murmure consterné s'éleva des innombrables navires, et il se retourna vivement pour voir quelle en était la cause.

Trente frégates melnibonéennes aux voiles d'or étaient apparues à l'entrée du port, sortant des deux bouches extrêmes du labyrinthe. Elric comprit qu'elles étaient restées cachées dans les canaux, attendant le retour des pirates pour les attaquer. C'étaient de grands navires de guerre, ce qui restait de l'antique flotte de Melniboné, et le secret de leur construction était oublié. Ils donnaient l'impression d'une immense force contenue, et avançaient rapidement grâce aux efforts de quatre ou même cinq rangs de rameurs, s'apprêtant à encercler les navires des pirates.

Comparée à la splendeur des hautes frégates dorées, la flotte d'Elric semblait rapetisser, et elle lui parut semblable à un amas de bouchons et de morceaux de bois dansant au gré des flots. De plus, les frégates étaient bien équipées et les hommes étaient frais, tandis que les pirates étaient épuisés par la bataille qu'ils venaient de livrer. Elric savait que le seul moyen de sauver une petite partie de sa flotte était de conjurer un vent magique pour donner des ailes à leurs voiles. La plupart des navires amiraux étaient autour de celui de Yaris, qu'Elric commandait maintenant car le jeune homme s'était terriblement enivré et avait été tué par une jeune serveuse d'une taverne d'Imrryr. Sur sa droite se trouvait le navire de Smiorgan; le comte faisait la grimace, car il savait fort bien que, malgré leur supériorité numérique, leurs navires ne pourraient soutenir une bataille navale en règle.

Mais il était dangereux ·de conjurer des vents assez puissants pour pousser un grand nombre de vaisseaux, car les esprits élémentaires contrôlant une aussi colossale puissance pouvaient se retourner contre le sorcier lui-même s'il n'usait pas d'une extrême prudence. Mais c'était leur seule chance pour éviter d'être éperonnés par les puissantes proues dorées.

Elric s'arma de courage pour prononcer les noms anciens aux multiples voyelles des êtres qui hantent les airs. Cette fois encore, il ne put se mettre en transe, car il devait surveiller les esprits de peur qu'ils ne se retournent contre lui. Sa voix était parfois aiguë comme le cri du gannet, et parfois caverneuse comme le bruit des vagues battant la grève. Les formes transparentes des Puissances du Vent apparurent devant ses yeux voilés; son cœur battait insupportablement contre ses côtes, et ses jambes avaient peine à le soutenir. Il rassembla ses dernières forces pour conjurer un vent chaotique aux hurlements perçants, qui secoua rudement les immenses vaisseaux melnibonéens. Puis, il dirigea ce vent dans les voiles de quelque quarante vaisseaux pirates. Il ne put sauver les autres, qui étaient trop dispersés pour que le vent pût les atteindre.

Quarante échappèrent donc aux terribles proues. Dans le hurlement du vent et le craquement des cordages, ils furent emportés sur la vague, les voiles gonflées à se rompre et les mâts ployés. Les rames furent arrachées aux mains des rameurs, et allèrent flotter dans le sillage houleux.

Rapidement, ils dépassèrent le cercle des frégates d'or, et filèrent à une vitesse délirante vers la pleine mer. L'équipage sentit que l'air avait changé; il apercevait parfois des formes imprécises et inquiétantes autour des navires. Les êtres qui étaient venus à leur aide dégageaient une aura mauvaise qui mettait les hommes mal à l'aise.

Smiorgan fit de grands signes à Elric et lui adressa un

sourire de remerciement. « Grâce à vous, nous sommes sauvés! » cria-t-il par-dessus les vagues. « Je savais que vous nous porteriez chance! »

Elric l'ignora.

Avides de vengeance, les Princes-Dragons se lancèrent à leur poursuite. Les voiliers dorés d'Imrryr étaient presque aussi rapides que la flotte poussée par un vent magique, et plusieurs galères pirates, dont les mâts s'étaient fendus sous la force du vent, furent prises.

Elric vit d'énormes grappins de métal mat s'abattre sur les vaisseaux restés en arrière, faisant craquer le bastingage. Les catapultes des frégates des Princes-Dragons lancèrent alors des feux grégeois sur le pont des navires; les flammes dévorantes et puantes coulaient comme de la lave, mangeant le bois comme le vitriol ronge le papier. De nombreux hommes hurlaient, essayant en vain d'éteindre leurs vêtements en feu. Quelques-uns plongèrent dans l'eau, mais elle n'éteignait pas ce feu infernal, et tandis qu'ils coulaient, on pouvait suivre leur descente lumineuse sous la surface. Hommes et navires tombèrent doucement jusqu'au fond, virevoltant comme des papillons incandescents.

Les ponts d'autres navires pirates épargnés par le feu se couvrirent de sang lorsque les furieux guerriers d'Imrryr causèrent des ravages terribles dans les rangs des pillards avec leurs sabres et leurs haches d'abordage, tandis que des frégates d'Imrryr pleuvaient les flèches et les javelots, mordant dans la masse des hommes apeurés.

Elric vit tout cela tandis que ses vaisseaux distançaient lentement le vaisseau amiral de la flotte d'Imrryr, commandé par l'amiral Magum Colim, grand commandeur de la marine melnibonéenne.

Pour la première fois, Elric adressa la parole au comte Smiorgan : « Nous les avons distancés! » hurla-t-il pour percer le glapissement du vent jusqu'au navire où Smiorgan levait des yeux exorbités vers le ciel. « Mais maintenez le cap à l'ouest, ou nous sommes perdus! »

Mais Smiorgan ne répondit pas. Il continuait de fixer le ciel d'un regard épouvanté – lui, qui n'avait jamais connu la morsure de la peur. Lentement, Elric suivit son regard. Et alors il vit.

Il n'y avait aucun doute, c'étaient des dragons! Les grands reptiles étaient à plusieurs milles, mais Elric connaissait bien la silhouette de ces monstres volants. L'envergure de ces êtres presque éteints était de dix mètres. Leur corps de serpent mesurait douze à quinze mètres du museau étroit au redoutable fouet de la queue et, bien que ne crachant pas le feu et la fumée légendaires, le contact de leur venin suffisait à enflammer le bois et les tissus.

Des guerriers d'Imrryr chevauchaient les dragons, armés de longues piques et soufflant dans des cors de forme bizarre dont les notes étranges se mêlaient au bruit de la mer turbulente. Ils n'étaient plus guère qu'à une demi-lieue; le dragon de tête descendit en décrivant des cercles vers la frégate amiral; en battant l'air, ses ailes faisaient un bruit de tonnerre.

Le monstre couvert d'écailles d'un vert grisâtre s'immobilisa au-dessus du gigantesque navire dansant sur la mer écumeuse. Sa silhouette se détachait nettement contre le ciel immaculé et Elric vit la banderole zébrée de lignes jaunes et noires de la longue lance que le Prince-Dragon qui le montait agitait en direction de l'amiral Magum Colim. Cet insigne lui était familier : c'était l'emblème de Dyvim Tvar, ami d'enfance d'Elric, devenu Seigneur de la Caverne des Dragons, et qui maintenant allait venger Imrryr la Belle.

Elric cria à Smiorgan : « Faites l'impossible pour les

repousser! » Dans un cliquetis d'armes, les hommes se préparèrent, sans grand espoir, à faire face à ce nouveau danger. Le vent magique leur était de peu d'aide tant le vol des dragons était rapide. Ayant conféré avec Magum Colim, Dyvim Tvar éperonna la gorge du dragon de sa longue pique. Le gigantesque reptile prit son essor et gagna rapidement de l'altitude. Onze autres dragons le suivirent, portés par leurs ailes puissantes.

Avec une apparente lenteur, les dragons avançaient implacablement vers la flotille des pirates, qui priaient leurs dieux dans l'espoir d'un miracle qui seul pouvait les sauver.

Ils étaient irrémédiablement condamnés, jusqu'au dernier navire. L'expédition allait finir par une défaite totale.

Elric lisait le désespoir sur le visage des hommes, et les mâts des navires se courbaient toujours sous le vent hurlant qu'il avait conjuré. Mais maintenant, ils ne pouvaient plus qu'attendre la mort...

Elric lutta contre le vertige qui gagnait son esprit. Il dégaina son épée gravée de runes et sentit battre la vie maléfique qui habitait *Stormbringer*. Il haïssait ce pouvoir maintenant, car c'était à cause de lui qu'il avait tué le seul être qu'il aimait. Mais il était conscient aussi de sa faiblesse, et de la force qu'il devait à l'épée noire de ses ancêtres. Il était albinos, et la vitalité naturelle aux autres humains lui manquait. Une peur écarlate envahit les brumes de son esprit et, futilement, il maudit son désir de vengeance, maudit le jour où il avait accepté de mener cette expédition contre Imrryr, et vilipenda amèrement le défunt Yyrkoon qui avait été à l'origine de tous ces événements malheureux.

Mais il était trop tard pour maudire le passé. Le lourd battement d'ailes des dragons emplissait l'air et les monstres projetaient leur ombre sur le pont des navires qui continuaient leur fuite vaine. Il devait prendre une décision – il n'avait certes pas d'amour pour la vie, mais se refusait à périr de la main d'hommes de sa race. Il s'était promis de ne mourir que de sa propre main. Empli de haine envers lui-même, il prit sa décision.

Au moment même où les dragons crachaient leur venin sur le plus lent des voiliers, Elric ordonna aux vents de se calmer, et utilisa tous ses pouvoirs pour enfler plus fort les voiles de son propre navire. Stupéfaits de se trouver soudain sur une mer calmée, ses camarades criaient désespérément dans sa direction pour lui demander les raisons de son acte. Le navire d'Elric avançait, lui, de plus en plus vite – tout juste assez vite pour échapper aux dragons, du moins Elric l'espérait-il.

Il avait abandonné le comte Smiorgan, l'homme qui avait eu confiance en lui, et il regarda le venin se déverser du ciel et l'engloutir dans des flammes vertes et rouges. Elric continuait à fuir, évitant de penser à l'avenir. Lui, le fier prince des ruines, sanglotait bruyamment, en maudissant le jour impie où les Dieux malveillants avaient, par amusement, donné naissance aux hommes.

Derrière lui, le dernier navire pirate éclata en flammes aveuglantes. Bien qu'ils lui fussent à moitié reconnaissants de leur avoir évité le sort de leurs camarades, les hommes jetaient à Elric des regards accusateurs. Sans prendre garde à eux, il continua à sangloter, l'âme déchirée par une immense douleur.

La nuit suivante, ayant échappé à la terrible vengeance des Princes-Dragons et de leurs bêtes, ils passèrent au large d'une île nommée Pan Tang. Elric, debout à l'arrière, ruminait de sombres pensées tandis que les hommes le regardaient avec un mélange de peur et de haine, parlant à mots couverts de trahison, de manque de cœur et de lâcheté. Ils avaient apparemment oublié leur peur et leur soulagement de se retrouver sains et saufs.

Elric tira sa noire épée runique et la tint des deux mains. *Stormbringer* était plus qu'une simple épée, il le savait depuis longtemps, mais maintenant il se rendait compte qu'elle était douée de sentiment à un point qu'il n'avait jamais imaginé. La terrible lame s'était servi de celui qui la portait et lui avait fait détruire Cymoril. Et pourtant, Elric avait l'affreuse certitude d'en être terriblement dépendant. Il était albinos – chose rare chez les animaux et plus encore chez les hommes; il n'avait donc pas de réserves naturelles de vitalité. Normalement, il aurait dû être paresseux, avec des réactions lentes et un esprit embrumé. Sa vue aurait rapidement faibli et il serait sans doute mort prématurément. Il aurait dépendu du bon vouloir d'autrui. Il savait que tel serait son sort s'il perdait l'aide de l'épée runique, mais il avait peur maintenant du pouvoir de la lame magique – et la haïssait amèrement pour avoir créé un tel chaos dans son esprit. Torturé par l'indécision, il contemplait *Stormbringer*, pesant le pour et le contre. Sans la sinistre épée, il perdrait ce qui faisait sa fierté, et peut-être même la vie, mais du moins trouverait-il le calme et le repos de l'esprit. Avec elle, il conserverait sa force et ses pouvoirs, mais elle le conduirait sur des sentiers maudits et lui préparerait un avenir torturé par un destin implacable. Il connaîtrait la puissance, mais jamais la paix, jamais la douce et triste paix.

Il poussa un soupir tremblant et, sous l'empire d'un aveugle pressentiment, jeta l'épée dans la mer inondée de lune.

Incroyablement, elle ne coula pas – ne flotta même pas sur l'eau. Tombant pointe la première, elle y resta *enfoncée,* vibrant comme si elle était fichée dans du bois. Dix centimètres de sa pointe immergée dans les eaux, elle palpita et émit un hurlement lugubre et épouvantablement maléfique.

Étranglant un juron simple, Elric allongea sa main frêle et blanche pour reprendre la lame douée d'une diabolique conscience. Il allongea le bras au maximum, se penchant sur le bastingage, sans pouvoir la saisir. Elle demeurait immobile à moins d'un mètre de lui. Haletant, submergé par le sentiment de sa totale défaite, il bascula et plongea dans l'eau glacée, puis nagea en faisant des efforts grotesques vers l'épée suspendue au-dessus de l'onde. Il était vaincu. *Stormbringer* avait gagné.

Il l'atteignit et l'empoigna par la garde. Immédiatement, elle s'immobilisa dans sa main et Elric sentit son corps douloureux reprendre des forces. Il comprit que l'épée et lui dépendaient l'un de l'autre car, bien qu'il eût besoin d'elle, *Stormbringer*, tel un parasite, exigeait un utilisateur; seule, la lame d'acier noir était impuissante.

« Soyons donc liés », murmura Elric dans son désespoir, « liés par des chaînes forgées en enfer, dans des circonstances voulues par le Destin. Eh bien, qu'il en soit ainsi, les hommes auront cause de trembler et de s'enfuir en entendant les noms d'Elric de Melniboné et de son épée *Stormbringer*. Nous sommes de la même race, produits d'un âge qui n'est plus. Donnons à cet âge-ci des *raisons* de nous haïr, tandis que nous hanterons ses jeunes contrées et ses mers nouvellement formées! »

Ayant retrouvé toute sa force, Elric rengaina *Stormbringer* et l'épée se mit en place contre son flanc. Puis, par brasses vigoureuses, il nagea vers l'île tandis que les hommes demeurés sur le navire soupiraient de soulagement en se demandant s'il survivrait dans les eaux sinistres de cette mer étrange et sans nom...

# TANDIS QUE RIENT LES DIEUX

Une nuit, alors qu'Elric buvait seul dans une morne taverne, une femme sans ailes de Myyrrhn sortit du sein de la tempête et vint se glisser contre lui.

Son corps était souple, son visage mince et frêle presque aussi pâle que la blanche peau d'Elric, et ses robes vert pâle contrastaient heureusement avec ses sombres cheveux rouges.

La taverne était violemment éclairée par d'innombrables chandelles; le bruit des conversations animées était souvent couvert par des rires tonitruants, mais la voix claire et liquide de la femme de Myyrrhn se fit aisément entendre :

« Je vous ai cherché vingt jours », dit-elle à Elric, qui la regardait insolemment de ses yeux rouges mi-clos, indolemment enfoncé dans son grand fauteuil; de la main droite, il tenait une coupe d'argent emplie de vin, tandis que sa main gauche reposait sur le pommeau de son épée runique ensorcelée *Stormbringer*.

« Vingt jours », murmura pour lui-même le Melnibonéen; il était délibérément impoli. « C'est longtemps parcourir le monde, pour une femme belle et solitaire. » Il souleva un peu ses paupières et s'adressa directement à elle : « Je suis Elric de Melniboné, comme vous ne l'ignorez apparemment pas. Je n'accorde jamais de faveurs, et n'en demande aucune. Ceci dit, pourquoi m'avez-vous cherché pendant vingt jours? »

La femme répondit calmement, nullement impressionnée par le ton hautain de l'albinos. « Je sais aussi, Elric, que vous êtes un homme amer – la cause de votre douleur est devenue légendaire. Je ne vous demande pas de faveurs, mais je viens vous apporter moi-même une proposition. Quel est votre désir le plus cher?

– La paix », répondit simplement Elric, puis il ajouta avec un sourire ironique : « Je suis un homme mauvais, belle dame, et je suis condamné à l'enfer, mais je ne manque ni de sagesse ni de loyauté. Permettez que je vous rappelle la vérité des faits, même si vous préférez les taxer de légende. ^

« Il y a maintenant un an, une femme est morte, tuée par ma fidèle épée. » Il frappa sèchement l'acier de sa lame et son regard se fit dur et moqueur. « Depuis lors, je n'ai courtisé ni désiré une femme. Pourquoi changerais-je d'aussi bonnes habitudes? Si vous me le demandiez, eh bien oui, je pourrais vous parler poétiquement, et j'avoue que votre grâce et votre beauté suscitent en moi d'intéressantes spéculations, mais je m'en voudrais de charger une créature aussi exquise d'une part de mon pesant et noir fardeau. Et toute relation plus intime entre nous entraînerait un partage de ce fardeau. » Il se tut un moment, puis dit lentement : « Je devrais ajouter qu'il m'arrive de hurler dans mon sommeil et que je suis souvent torturé par un incommunicable dégoût pour moi-même. Partez tant qu'il est temps, belle dame, et oubliez Elric qui ne pourra apporter que du malheur à votre âme. »

Brusquement, il détourna son regard et vida d'un trait la coupe d'argent, puis la remplit à l'aide de la cruche posée à ses côtés.

« Non », dit calmement la femme sans ailes de Myyrrhn, « je ne partirai pas. Venez avec moi. »

Elle se leva et prit doucement Elric par la main. Sans savoir pourquoi, il se laissa guider par elle. Ils sortirent dans la tempête qui faisait rage autour de la ville filharienne de Raschil. Un sourire cynique et protecteur planait sur ses lèvres tandis qu'elle le menait vers le quai battu par les vagues. Ce fut là qu'elle lui dit son nom, Shaarilla de la Brume Dansante, fille aptère d'un défunt nécromancien – infirme aux yeux des siens et rejetée de son étrange pays.

Elric se sentit désagréablement attiré par cette femme silencieuse au calme regard. Au cœur de son être, il ressentait une violente émotion qu'il avait cru ne plus jamais connaître, et il eut envie de saisir ces épaules finement ciselées et de la serrer contre lui. Mais il réprima ce désir et se contenta d'admirer son corps magnifiquement sculpté et ses longs cheveux flottant derrière elle.

Le vent hurlait lugubrement sur la mer démontée, faisant oublier à Elric la chaleur malsaine de la ville; ils ne parlaient pas, et n'en ressentaient nul besoin. Elle se tourna vers la mer agitée de vagues gigantesques et, sans regarder Elric, dit : « Vous avez certainement entendu parler du Livre des Dieux Morts? »

Elric fit un signe d'assentiment; malgré son désir de ne pas se mêler aux entreprises des hommes, il était intéressé. Ce livre mythique contenait, croyait-on, un savoir capable de résoudre nombre de problèmes dont les hommes sont affligés; il n'était pas un sorcier qui ne désirât connaître cette puissante et divine sagesse.

On le croyait détruit – précipité dans le soleil alors que les Dieux Anciens mouraient dans les déserts cosmiques qui se trouvent au-delà des limites de notre système. Une autre légende, vraisemblablement postérieure, mentionnait en des termes vagues des êtres ténébreux qui auraient intercepté le Livre lors de sa chute vers le soleil, s'en emparant avant qu'il fût détruit. Mais la plupart des savants faisaient peu de cas de cette légende, pensant que, si elle disait vrai, l'existence du Livre aurait fini par être révélée.

Elric répondit d'un ton morne, feignant de ne pas être intéressé : « Pourquoi avez-vous mentionné le Livre?

— Je sais qu'il existe », dit Shaarilla avec passion, « et je sais où il est. Mon père me l'a appris juste avant de mourir. Si vous m'aidez à le trouver, le Livre sera à vous, et je serai à vous. »

Y trouverai-je le secret de la paix? se demanda Elric. Pourrai-je alors me passer de mon haïssable épée?

« Puisque vous le désirez au point de faire appel à mon aide... pourquoi ne tenez-vous pas à le garder?

— Parce que j'aurais trop peur de le posséder – ce n'est pas un Livre fait pour une femme. Mais vous êtes sans doute le dernier grand nécromancien en vie, et il convient que vous le possédiez. Si je l'avais, vous me tueriez peut-être pour le prendre. Je passerais ma vie à trembler. D'ailleurs, je n'ai besoin que d'une petite partie de sa sagesse.

— A savoir? » s'enquit Elric en regardant avec émoi la beauté patricienne de Shaarilla.

Elle répondit en baissant les yeux : « Vous le saurez lorsque le Livre sera entre nos mains... pas avant.

— Cette réponse en vaut bien une autre », dit Elric, comprenant qu'il n'en apprendrait pas davantage pour le moment. « Et elle me plaît. » Puis, avant de savoir ce qu'il faisait, il la prit par les épaules et écrasa sa bouche vermeille de ses lèvres exsangues.

Elric et Shaarilla chevauchaient vers l'ouest, vers le Pays Silencieux, traversant les vertes plaines de Shazaar où leur bateau avait accosté deux jours auparavant. Entre Shazaar et le Pays Silencieux se trouvait une vaste contrée inhabitée, malgré sa fertilité et ses richesses naturelles. Les habitants de Shazaar s'étaient volontairement abstenus de pousser leurs frontières plus avant, bien que les habitants du Pays Silencieux s'aventurassent rarement plus loin que les Marécages de la Brume, qui constituaient la frontière naturelle entre les deux pays. En effet, les habitants de Shazaar avaient une peur superstitieuse de leurs voisins inconnus.

Le voyage fut rapide et agréable, malgré de funestes présages – plusieurs personnes qui ne pouvaient qu'ignorer le but de nos voyageurs les avertirent d'un danger imminent. Elric reconnut ces signes néfastes, mais se garda d'en parler à Shaarilla qui semblait, pour sa part, se satisfaire de son silence. Ils parlaient peu durant le jour, gardant leur souffle pour les sauvages jeux d'amour de la nuit.

Seul le battement amorti des sabots sur la prairie et le craquement du harnais d'Elric rompaient le silence de la belle journée d'hiver, tandis qu'ils approchaient des instables et dangereuses pistes des Marécages de la Brume.

Ils parvinrent aux marais marquant la frontière du Pays Silencieux par une ténébreuse nuit, et s'arrêtèrent pour monter leur tente de soie sur une colline dominant les marécages noyés d'une brume argentée.

Des nuages noirs et menaçants s'accumulaient à l'horizon, percés parfois par la lune dont un pâle rayon caressait les marais luisants ou l'herbe rude poussant aux abords. Une fois même, elle éclaira la sombre silhouette d'Elric d'un rayon d'argent puis, comme repoussée par la vue d'une créature vivante sur cette colline désolée, elle se retira immédiatement derrière les noirs nuages, laissant

Elric songeur et plongé dans ces ténèbres qu'il recherchait.

Un roulement de tonnerre retentit dans le lointain, se répercutant sur des montagnes invisibles, pareil au rire des Dieux. Elric frissonna et, ramenant sa cape bleue autour de lui, continua à fixer songeusement la plaine brumeuse.

Shaarilla ne tarda pas à venir le rejoindre, enveloppée dans une épaisse cape de laine qui suffisait à peine à la protéger de l'humidité glaciale de l'air.

« Le Pays Silencieux », murmura-t-elle. « Est-ce vrai, tout ce que l'on en dit? T'en a-t-on parlé dans l'ancienne Melniboné? »

Elric sortit à regret de ses pensées et, après l'avoir fixée un moment de ses yeux à l'iris cramoisi, lui dit d'une voix sourde :

« Je sais que ses habitants ne sont pas humains, et qu'on les craint. Nul voyageur n'en est jamais revenu, pour autant que je sache. Même au temps de la splendeur de l'Empire de Melniboné, mes ancêtres ne soumirent jamais ce pays – et n'en eurent jamais le désir. On dit que le Pays Silencieux est habité par une race qui se meurt, une race plus cruelle que mes ancêtres ne le furent jamais, et qui domina la Terre bien avant que l'homme accède à la puissance. De nos jours, ils s'aventurent rarement au-delà de leurs frontières naturelles, montagnes d'un côté et marécages de l'autre. »

Shaarilla eut un rire sans joie. « Ah, ils ne sont pas humains donc? Et ceux de ma race, qui est reliée à la leur? Et moi, Elric?

– Tu es suffisamment humaine pour moi », dit Elric d'un ton léger, en la regardant dans les yeux. Elle sourit.

« Ce n'est guère un compliment, mais je le prendrai

pour tel – en attendant que ta langue déliée en trouve un meilleur. »

Cette nuit-là, ils ne trouvèrent pas le repos et comme Elric l'avait prédit, il poussa des hurlements déchirants dans son sommeil turbulent peuplé de monstres, et cria un nom qui emplit Shaarilla de douleur et de jalousie. Le nom de Cymoril. Les yeux grands ouverts dans son terrible sommeil, Elric semblait regarder celle qu'il appelait. Il parlait aussi dans un langage inconnu, aux syllabes sifflantes; Shaarilla se boucha les oreilles pour ne pas l'entendre.

Le lendemain matin, tandis qu'ils pliaient la tente de soie, elle évita son regard. Mais plus tard, voyant qu'il gardait le silence, elle lui posa une question d'une voix qu'elle ne pouvait empêcher de trembler.

C'était une question nécessaire, mais qu'il lui était difficile de poser. « Elric... pourquoi désires-tu le Livre des Dieux Morts? Qu'espères-tu y trouver? »

Elric ne répondit pas, mais elle réitéra sa question avec insistance.

« Soit », dit-il enfin, « mais il n'est pas facile de le dire en quelques phrases. Je désire, si tu veux, savoir une chose.

– Laquelle, Elric? »

Le grand albinos lâcha la tente avec un soupir; ses doigts jouaient nerveusement avec le pommeau de son épée runique. « Existe-t-il un Dieu ultime, ou non? – Voilà ce qu'il me faut savoir, Shaarilla, pour donner un but à ma vie.

« Nos existences sont-elles gouvernées par la Loi ou par le Chaos? Les hommes ont besoin d'un Dieu, c'est du moins ce que les philosophes nous disent. L'ont-ils fabriqué, ou est-ce Lui qui les a fabriqués? Nous savons que les Dieux Anciens, comme nous les appellons, vivaient jadis, et sont morts. Mais étaient-ils des êtres réellement supérieurs, ou simplement des hommes doués d'une plus grande sagesse? En tout état de cause ce n'étaient sans doute pas des êtres *absolus,* puisqu'ils sont morts. »

Shaarilla posa sa main sur le bras d'Elric. « Pourquoi veux-tu le savoir?

— Parfois, Shaarilla, je cherche désespérément le réconfort d'un Dieu. La nuit, mon esprit fouille le désert noir de l'espace à la recherche de quelque chose – de n'importe quoi – qui me protégerait, me réchaufferait, me dirait qu'il y a un ordre dans cet univers chaotique, et que la course ordonnée des planètes n'est pas simplement une inconsistante étincelle de raison au sein d'une éternité malfaisante et anarchique. »

On sentait sourdre le désespoir dans sa voix calme. « En l'absence d'un Dieu, d'un ordre sensible des choses – d'une destinée ascendante, mon seul espoir est d'accepter cette anarchie sans me rebeller. Ainsi puis-je me réjouir de ce chaos, sachant, sans peur, que nous sommes tous condamnés depuis l'origine – et que notre minuscule et lent passage dans le temps ne signifie rien, que nous sommes damnés et plus qu'abandonnés, puisque jamais il n'y eut quelqu'un qui pût nous abandonner. Je puis l'accepter; parfois, ce m'est un réconfort et parfois cela m'épouvante et alors je me considère avec horreur, me demandant pourquoi je crois en cette anarchie alors qu'il existe tant de preuves du contraire. J'ai pesé ces preuves, Shaarilla, et je pense que l'anarchie l'emporte, en dépit des lois qui semblent gouverner nos actions, notre magie et notre logique. Je ne vois que chaos dans le monde. Si le Livre que nous cherchons me prouve le contraire, je le croirai avec joie. En attendant, je ne me fie qu'à moi-même et à mon épée. »

Shaarilla le regarda d'une façon étrange. « Je ne partage pas ton sentiment mais je crois comprendre ce que tu veux exprimer. Mais ne crois-tu pas que les événements que tu as vécus récemment ont pu influencer ta philosophie? Crains-tu peut-être les conséquences de ton crime et de ta traîtrise? N'est-ce pas pour toi un réconfort que de croire en l'anarchie et en l'absence de justice? »

Elric tourna vers elle un regard cramoisi et furieux mais, alors même qu'il allait parler, la colère l'abandonna et il baissa les yeux pour ne pas soutenir son regard.

« Peut-être », admit-il faiblement. « Je ne sais pas. Voilà la *seule* vérité. *Je ne sais pas.* ».

Shaarilla lui montra d'un regard qu'elle le comprenait, et son visage s'éclaira d'une énigmatique sympathie. Mais Elric ne vit pas son regard, car ses yeux étaient emplis de larmes cristallines qui coulèrent sur son maigre visage blanc, lui ôtant momentanément force et volonté.

« Je suis un homme possédé », gémit-il, « mais sans cette lame diabolique que je porte au côté, je ne serais pas un homme du tout. »


Ils enfourchèrent leurs rapides coursiers noirs et les éperonnèrent avec sauvagerie. Leurs capes volaient haut dans le vent. Leurs visages étaient durs et déterminés, car ils refusaient d'admettre la douloureuse incertitude qui les habitait.

Les chevaux s'avancèrent dans le marais bourbeux avant qu'ils pussent les arrêter.

Elric poussa un juron et, tirant sur les rênes, parvint à ramener sa monture sur la terre ferme. Shaarilla dut lutter contre son cheval apeuré mais réussit à le guider jusqu'à la prairie.

« Comment faisons-nous pour traverser? » lui demanda Elric avec impatience.

« Il y avait une carte... » commença Shaarilla en hésitant.

« *Où est-elle?*

– Elle... elle est perdue. Je l'ai perdue. Mais je crois m'en souvenir. Je pense pouvoir nous guider jusqu'à l'autre côté.

– Comment l'as-tu perdue? » éclata Elric. « Et pourquoi ne me l'avais-tu pas dit?

– Excuse-moi, Elric... Mais pendant un jour entier, juste avant de te trouver, j'avais perdu la mémoire. Oui, il me semble que j'ai vécu toute une journée sans le savoir. Et, lorsque je me suis réveillée, la carte n'était plus là. »

Elric fronça les sourcils, murmurant : « Il n'y a pas de doute, une force travaille contre nous... mais quelle est-elle... » Puis, élevant la voix, il dit à sa compagne : « Il ne nous reste plus qu'à espérer que ta mémoire est bonne. Ces marécages sont mal famés mais du moins, à ce qu'on dit, ne recèlent-ils que des dangers naturels. » Il étreignit la garde son épée runique. « Passe d'abord, Shaarilla, puisque tu dois nous guider, mais ne t'éloigne pas trop. »

Sans mot dire, elle galopa vers le nord, suivant la bordure des marais jusqu'à un grand rocher pointu. De là, un sentier couvert d'herbe courait dans le marécage couvert d'une brume épaisse qui arrêtait le regard à peu de distance. La faible étendue qu'ils voyaient paraissait ferme. Shaarilla y engagea son cheval, suivie de près par Elric.

La brume lumineuse et mouvante faisait broncher les bêtes qu'ils devaient sans cesse retenir. Les nuées ouatées étouffaient les sons. Les fougères pourrissantes aux feuilles luisantes d'humidité dégageaient une odeur pestilentielle. Nul animal ne s'enfuit devant eux, et ils n'entendirent pas un seul cri d'oiseau. Un silence lourd et inquiétant rendait nerveux hommes et bêtes.

La gorge nouée, Elric et Shaarilla continuèrent à s'avancer dans le monstrueux Marécage de la Brume, à l'affût du moindre signe de danger.

Longtemps après – le soleil n'était déjà plus à son zénith – le coursier de Shaarilla hennit en se dressant sur ses jambes de derrière. Essayant de percer la brume, ses traits exquis déformés par la peur, elle cria le nom d'Elric, qui éperonna sa monture rétive pour la rejoindre.

Une forme menaçante se mouvait lentement dans l'épaisseur cotonneuse du brouillard. Elric porta sa main droite à son côté gauche, et empoigna *Stormbringer*.

La lame se dégaina avec un hurlement aigu, parcourue d'un feu noir, et communiqua une force inhumaine au bras et à tout le corps d'Elric. Une lumière impie naquit dans ses yeux cramoisis et, la bouche tordue en un sourire hideux, il força son cheval à avancer plus avant dans la lourde brume.

En apercevant la forme mouvante peu devant lui, il hurla : « Arioch, Seigneur des Sept Ténèbres, sois avec moi! » La chose était blanche comme le brouillard, tout en paraissant plus *sombre*. Elle dominait Elric de ses trois mètres de haut, et était presque aussi large. Mais il n'en voyait guère qu'un contour dénué de visage et de membres. Rien qu'un mouvement rapide, vicieux, maléfique!

Elric sentit le grand cœur de son cheval battre contre ses jambes, mais il tenait les rênes d'une main de fer et le força à s'élancer en avant. Il entendit Shaarilla lui crier quelque chose, mais il n'en put comprendre le sens. Il frappa d'estoc et de taille, mais sa lame ne rencontra que de la brume et il rugit de colère. Fou de peur, son cheval refusa obstinément d'avancer et Elric dut mettre pied à terre.

« Occupe-toi du cheval! » cria-t-il à Shaarilla en avançant d'un pas léger vers la forme imprécise qui barrait le sentier de sa masse énorme.

Il commença à distinguer quelques-unes de ses caractéristiques : deux yeux couleur de vin jaune, situés en haut du corps de la chose, bien qu'elle n'eût pas de tête à proprement parler; juste au-dessous de ces yeux, une fente obscène emplie de crocs; pas de nez ni d'oreilles visibles; quatre longs appendices servaient de membres supérieurs, tandis que le bas du corps rampait à même la terre. Elric dut forcer ses yeux à demeurer ouverts. C'était un spectacle incroyablement nauséeux et la matière amorphe du corps dégageait une odeur de mort et de pourriture. Luttant contre la peur et le dégoût, Elric avança prudemment, l'épée levée afin de se protéger. Puis, Elric reconnut la chose – il en avait lu une description dans un grimoire : c'était un Géant des Brumes, peut-être même le seul géant des Brumes, nommé Bellbane. Même les plus savants sorciers ignoraient s'il en existait un ou plusieurs. C'était une sorte de vampire des marais, se nourrissant du sang et des âmes de tout ce qui vivait. Pourtant, le Marécage de la Brume était situé bien à l'est des lieux habituellement hantés par Bellbane.

Elric ne s'étonna plus qu'ils n'aient pas rencontré un seul animal. Au-dessus de lui, le ciel commença de s'obscurcir.

*Stormbringer* vibra dans sa main lorsqu'il invoqua les anciens et maléfiques Dieux-Démons de son peuple. L'immonde vampire dut reconnaître les noms, car il recula. Elric força ses jambes à approcher de la chose, et put voir qu'elle n'était en fait pas blanche, mais d'une couleur qu'il ne parvint pas à reconnaître : une sorte d'orange peut-être, avec des touches d'un affreux jaune verdâtre – mais il ne voyait pas ces teintes, il les *percevait* autrement qu'avec ses yeux.

Puis, Elric se précipita sur la chose en criant des noms qui ne signifiaient rien pour la partie consciente de son esprit : « *Balaan – Marthim! Aesma! Alastor! Saebos! Verdelet! Nizilfkm! Haborym!* HABORYM DES FEUX DESTRUCTEURS! » Son esprit était déchiré. Une partie de lui-même voulait fuir et se cacher, mais il était impuissant contre les forces qui le poussaient en avant, vers l'horrifiante chose que son épée frappait et pourfendait. Il avait l'impression de couper de l'eau – une eau animée et consciente. *Stormbringer* était efficace pourtant. La masse entière du vampire tressaillait comme sous l'effet d'une intolérable souffrance. Puis, Elric se sentit soulevé du sol et ses yeux ne virent plus rien – mais il continua à piquer, à tailler, et à trancher dans la chose innommable qui le tenait.

Aveuglé et couvert de sueur, il continuait pourtant à se battre.

Une douleur atroce, qui n'était même plus physique, envahit son être et il gémit en continuant à frapper la *molle* masse qui l'étreignait et l'attirait lentement vers sa gueule béante. Il se tordait et se débattait furieusement contre l'étreinte obscène du Géant des Brumes, qui le serrait de façon presque lascive, de plus en plus près, comme un amant brutal le ferait avec une fille. Même l'immense force magique de l'épée runique paraissait insuffisante à tuer le monstre dont les efforts semblaient faiblir, mais qui continuait à attirer Elric vers la fente buccale grinçante et baveuse.

Elric appela de nouveau ses Dieux, tandis que dans sa main *Stormbringer* dansait et hurlait un chant maléfique. Il se tordait de douleur, priait, promettait, suppliait, mais rien n'y faisait; implacablement, l'être l'attirait vers sa gueule souriante et obscène.

Il lutta avec le courage du désespoir et, tout au fond de sa gorge, un nom horrifique se forma, s'imposa à ses cordes vocales réticentes et sortit de sa bouche contractée. C'était le nom ultime, le Mal absolu, ébranlant l'âme jusqu'à ses fondements. Le Géant des Brumes faiblit imperceptiblement. Sentant qu'il avait enfin ébranlé le terrifiant dynamisme du Géant, Elric profita de son avantage; le fait de savoir que le vampire faiblissait lui redonnait des forces. Aveuglément, de tout son corps torturé, il frappa, frappa.

Soudain, il se sentit tomber.

Il lui sembla qu'il tombait pendant des heures, lentement, comme s'il n'avait pas de poids. Il atterrit sur une surface qui céda sous lui et, lentement, commença à s'enfoncer.

Très loin, plus loin que l'espace et le temps, il entendit une voix l'appeler. Il ne voulait pas l'entendre. Il était satisfait de sa situation, satisfait d'être peu à peu englouti par cette masse froide et visqueuse.

Puis, quelque sixième sens lui dit que c'était Shaarilla qui l'appelait et il s'efforça de comprendre ce qu'elle disait.

*« Elric! Le marécage! Tu es dans le marécage. Ne bouge pas! »*

Il se surprit à sourire. Pourquoi bougerait-il? Il s'enfonçait doucement, calmement dans le marécage accueillant...

Brutalement, il prit conscience de la situation et ouvrit les yeux. Au-dessus de lui, rien que de la brume. D'un côté, une mare nauséabonde d'une couleur innommable s'évaporait lentement. De l'autre côté, une forme humaine à peine visible gesticulait frénétiquement; derrière elle, il devinait les silhouettes de deux chevaux, Shaarilla était là. Et en dessous de lui...

En dessous de lui, c'était le marécage.

La boue épaisse et gluante sur laquelle il était étendu, bras et jambes écartés, l'engloutissait lentement – et il était déjà à moitié recouvert. Sa main droite tenait toujours *Stormbringer;* il pouvait tout juste la voir en tournant la tête. Prudemment, il essaya de soulever le haut de son corps. Il y réussit, mais ses jambes s'enfoncèrent davantage dans le marais puant.

« Shaarilla! » cria-t-il. « Vite, une corde!

– Je n'en ai pas, Elric! » Avec des gestes rapides, elle ôta sa robe qu'elle déchira frénétiquement en lambeaux.

Elric continuait de s'enfoncer – ses pieds ne rencontraient aucune résistance.

Hâtivement, Shaarilla noua les bandes de tissu, puis jeta la corde improvisée à l'albinos. Elle tomba trop loin. Elle la jeta de nouveau, et cette fois il parvint de justesse à la saisir. La jeune femme commença à tirer et Elric se sentit lentement soulevé, puis le mouvement cessa.

« Je ne peux pas, Elric... Je ne suis pas assez forte. »

La maudissant intérieurement, Elric cria : « Le cheval! Attache l'extrémité de la corde au cheval! »

Elle courut vers l'une des bêtes et fixa la corde improvisée à la selle puis, saisissant l'animal par les rênes, le fit avancer au pas.

Elric fut rapidement tiré de la boue gluante et, tenant toujours *Stormbringer* à la main, se retrouva sur l'étroite bande d'herbe.

Haletant, il tenta de se lever, mais ses jambes étaient comme du coton, et ne purent le soutenir. Shaarilla s'agenouilla à côté de lui.

« Tu es blessé? »

Surmontant sa faiblesse, Elric parvint à sourire. « Non, je ne crois pas.

– C'était horrible. Je n'ai pas bien vu ce qui se passait, mais tout à coup, tu as disparu... et puis tu as crié ce... ce *mot*. » Son visage était pâle et tiré, et elle tremblait de tout son corps.

Elric était sincèrement stupéfait. « Quel mot? Quel mot ai-je crié? »

Elle secoua la tête. « Peu importe. Cela t'a sauvé, c'est le principal. Je t'ai vu réapparaître, et puis tomber dans le marais. »

Le pouvoir de *Stormbringer* continuait à se répandre dans l'albinos, qui sentait déjà ses forces revenir.

Il se leva et se dirigea d'un pas incertain vers son cheval. « Je suis certain que le Géant des Brumes ne fréquente pas habituellement ce marécage, et qu'il a été *envoyé* ici. Par qui – ou par quoi, je l'ignore, mais nous devons nous hâter de gagner la terre ferme avant qu'il ne soit trop tard.

– En revenant sur nos pas ou en allant de l'avant? » demanda Shaarilla.

« Pourquoi cette question? » demanda Elric en se renfrognant.

Elle avala sa salive. « Dépêchons-nous, alors. »

Ils se mirent en selle et chevauchèrent sans encombre jusqu'à ce que le marécage et son manteau de brumes fussent derrière eux.

Maintenant qu'Elric était certain qu'une force inconnue tentait de mettre des obstacles sur leur chemin, il hâta le mouvement. Ne se reposant que rarement, ils menèrent leurs puissantes montures jusqu'aux limites de l'épuisement.

Le cinquième jour, ils traversèrent une contrée aride et rocheuse. Une pluie fine s'était mise à tomber.

Les pierres étaient glissantes, et ils avançaient prudemment, penchés sur l'encolure de leurs chevaux. Leurs capes ne les protégeaient que partiellement contre la pluie persistante. Ils chevauchaient silencieusement depuis un certain temps lorsqu'ils entendirent au loin des aboiements sinistres et aigus, et un bruit de sabots.

Elric désigna un haut rocher qui s'élevait sur leur droite.

« Cachons-nous là. Ils viennent vers nous – ce sont peut-être des ennemis. Avec un peu de chance, ils passeront sans nous voir. » Shaarilla lui obéit sans dire mot. Ils attendirent côte à côte tandis que les hideux aboiements approchaient.

« Un seul cavalier – plusieurs autres animaux », dit Elric. « Ces derniers accompagnent ou bien poursuivent le cavalier. »

Puis, ils apparurent à travers la pluie. L'homme éperonnait désespérément un cheval visiblement apeuré. A peu de distance le suivait une meute d'animaux qu'ils prirent d'abord pour des chiens. En fait, ils étaient mi-chiens, mi-oiseaux : ils avaient de longs corps efflanqués de chiens, mais des serres d'oiseaux de proie en guise de pattes et des becs courbes et acérés en place de museaux.

« Les chiens de chasse des Dharzi! » s'exclama Shaarilla. « Je les croyais éteints de longue date, de même que leurs maîtres.

– Moi aussi », dit Elric. « Mais que font-ils ici? Les Dharzi et les habitants de ce pays n'entretiennent pas de relations.

– Eux aussi ont été *amenés* ici », murmura Shaarilla. « Ces chiens diaboliques ne manqueront pas de nous sentir. »

Elric empoigna son épée runique. « Nous n'avons donc rien à perdre en aidant celui qu'ils poursuivent », dit-il en éperonnant sa monture. « Attends-moi ici, Shaarilla. »

L'homme, toujours poursuivi par la meute hurlante, avait dépassé le grand roc et s'était engagé dans un étroit défilé. Elric les rattrapa au grand galop.

« Hola! » cria-t-il au cavalier. « Arrêtez-vous et faites face, l'ami! Je suis là pour vous aider! »

Levant haut son épée gémissante, Elric se précipita au

sein des démons glapissants; les sabots de son cheval brisèrent net la colonne vertébrale d'un des monstres. Après le premier passage d'Elric, il ne resta plus que cinq ou six de ces chiens de cauchemar. Le cavalier inconnu fit faire volte-face à son cheval et tira de son fourreau un long sabre. C'était un petit homme; sa grande et laide bouche se releva en un sourire de soulagement.

« Cette rencontre est pour moi une chance inespérée, mon bon maître! »

Il ne put en dire davantage, car deux chiens s'étaient précipités sur lui et il dut consacrer toute son attention à se défendre contre leurs serres et leurs becs acérés.

Les trois autres chiens attaquèrent vicieusement Elric. L'un d'eux, bec grand ouvert, lui sauta à la gorge. Il sentit son haleine fétide avant que *Stormbringer,* décrivant un grand arc, le tranche en deux. Un liquide immonde aspergea Elric et son cheval. L'odeur du sang sembla accroître la fureur des autres chiens – et l'épée runique émit un chant plus aigu et quasi extatique. Elric la sentit remuer dans son poing et empaler juste sous le sternum une autre de ces bêtes repoussantes. L'animal poussa un hurlement suraigu et tenta de saisir la lame avec son bec. A l'instant où le bec toucha la sombre lame, une atroce odeur de chair brûlée monta aux narines d'Elric. Le hurlement de la bête cessa instantanément. .

Avant de s'attaquer au dernier monstre, Elric eut le temps d'apercevoir son corps entièrement calciné. Son cheval se cabra pour échapper à l'attaque du dernier chien-oiseau. L'animal s'élança sur Elric, mais l'albinos se retourna prestement et lui fracassa le crâne, répandant sa cervelle sur le sol humide et luisant. Dans un dernier réflexe, l'animal essaya de happer Elric avec son bec, mais le Melnibonéen n'y prit pas garde, car il se dirigeait déjà vers le petit homme, qui avait éliminé un de ses adversaires mais semblait avoir du mal avec le second, qui s'était accroché à son sabre, le bec tout près de la garde.

Le petit homme agitait son sabre pour lui faire lâcher prise, et l'animal essaya de lui lacérer la gorge avec ses serres. Elric chargea, et *Stormbringer* l'ouvrit du bas de l'abdomen à la gorge. Le chien dénaturé lâcha prise et tomba avec force contorsions sur le sol rocailleux, où le cheval d'Elric l'écrasa. L'albinos essuya la sueur qui couvrait son front, rengaina son épée et regarda avec circonspection l'homme qu'il venait de sauver. Il détestait tout contact humain superflu, et par-dessus tout les effusions sentimentales.

Comme il le craignait, la vilaine bouche du petit homme s'ouvrit en un large sourire, et il s'inclina en direction du Melnibonéen tout en rengainant son sabre courbe.

« Merci, mon bon signeur », dit-il. « Sans votre aide, la bataille eut été plus longue. Vous m'avez privé d'un divertissement attrayant, mais j'apprécie votre intention. Je m'appelle Tristelune.

– Elric de Melniboné », répliqua l'albinos, mais le petit homme n'eut aucune réaction. C'était étrange, car le nom de l'albinos était tristemenent célèbre de par le monde. L'histoire de sa trahison et de la mort de sa cousine Cymoril avait fait le tour de toutes les tavernes du monde civilisé, sous des versions plus ou moins fantaisistes. Bien qu'il le détestât, il était habitué à ce qu'on le reconnaisse. Son albinisme était à lui seul suffisamment caractéristique.

Intrigué par l'ignorance de Tristelune et ressentant une étrange attirance pour le courageux petit homme, Elric essaya de déterminer de quel pays il pouvait venir. Il ne portait pas d'armure, et ses vêtements de tissu bleu étaient tachés et décolorés par le soleil et les voyages. Il était ceint d'une large ceinture de cuir portant son sabre, un poignard

92

et une bourse de laine. Il était chaussé de bottes fatiguées, ne montant pas plus haut que la cheville. Le harnachement de son cheval était fort usé, mais visiblement de très bonne qualité. L'homme lui-même mesurait à peine plus de un mètre cinquante, avec des jambes proportionnellement trop longues. Son nez était court et retroussé, et ses grands yeux gris-vert avaient un regard innocent. Ses cheveux d'un roux éclatant retombaient en désordre sur son front et sa nuque. Bien à l'aise sur sa selle, il souriait toujours, mais regardait maintenant Shaarilla, qui arrivait lentement vers eux.

Tristelune la salua avec une politesse exagérée.

« Dame Shaarilla », dit brièvement Elric. « Maître Tristelune de...?

— D'Elwher », compléta le petite homme, « la capitale marchande de l'Est — et la plus belle ville des Jeunes Royaumes.

— Vous êtes donc d'Elwher, Maître Tristelune. J'en ai ouï parler. La ville n'a guère que quelques siècles, n'est-ce pas? Vous êtes venu de loin.

— De très loin, certes. Le voyage eût été plus dur sans une connaissance de la langue de ces régions, mais par bonheur l'esclave qui me conta les récits de sa patrie m'apprit également son langage.

— Mais pourquoi êtes-vous venu dans ces régions? Ne connaissez-vous pas les légendes? » demanda Shaarilla avec incrédulité.

« Ce sont précisément ces légendes qui m'ont attiré — et je les croyais déjà erronées lorsque ces mignons petits chiots se mirent à mes trousses. J'ignore d'ailleurs pour quelle raison, car je n'avais en rien excité leur déplaisir. C'est vraiment un pays bien barbare. »

Elric se sentait mal à l'aise. La légèreté du ton de Tristelune était contraire à sa nature morose — mais, en dépit de cela, il le trouvait de plus en plus sympathique.

Ce fut Tristelune qui suggéra qu'ils voyagent de compagnie pour un temps. Shaarilla essaya d'en dissuader Elric par un regard, mais il l'ignora.

« Soit, ami Tristelune. Puisque trois sont plus forts que deux, nous apprécierons votre compagnie. Nous allons vers les montagnes. » Elric se sentait d'humeur plus gaie que de coutume.

« Et qu'y cherchez-vous? » s'enquit Tristelune.

« Un secret », répondit Elric, et leur nouveau compagnon eut la discrétion de ne pas insister.


Ils chevauchèrent sous une pluie battante qui chantait sur les rochers, accompagnés par les hurlements funèbres du vent. Sous un ciel couleur de plomb, leurs trois petites silhouettes avancèrent rapidement vers la ligne noire des montagnes qui surplombait le monde comme un Dieu ténébreux. Peut-être était-ce vraiment un Dieu qui riait, alors qu'ils approchaient des premières collines, à moins que ce fût le vent s'engouffrant dans le mystérieux inconnu des cañons et des précipices, ou caressant le basalte et le granit des pics solitaires. Des nuages d'orage se formaient autour de ces derniers et le doigt gigantesque des éclairs allait d'un geste saccadé fouiller la terre. Lorsqu'ils virent apparaître les premiers sommets, Shaarilla fit partager à Elric les pensées qui la tourmentaient.

« Elric, retournons, je t'en supplie. Oublie le Livre. Trop de forces sont à l'œuvre contre nous. Tiens compte des signes, Elric, ou nous courons à notre perte! »

Mais Elric garda un silence obstiné; il s'était depuis longtemps rendu compte qu'elle avait perdu son enthousiasme pour la quête dont elle avait eu l'initiative.

« Elric, je t'en supplie... Nous n'arriverons jamais jusqu'au Livre. Elric, revenons sur nos pas. »

Elle chevauchait à ses côtés maintenant, et le tirait impatiemment par ses vêtements. Agacé, il se dégagea et la regarda en face.

« Trop tard, Shaarilla. Je suis trop intrigué pour m'arrêter, maintenant. Ou bien continue à me guider – ou bien dis-moi ce que tu sais et retourne. Tu désirais connaître la sagesse du Livre, et il a suffi de quelques petits obstacles pour te faire peur. Que désirais-tu apprendre là-bas, Shaarilla? »

Au lieu de lui répondre, elle dit : « Et toi, Elric, que désirais-tu? La paix, m'avais-tu dit! Eh bien, je te préviens que tu ne trouveras pas la paix dans ces sinistres montagnes – si nous parvenons jamais jusqu'à elles.

– Tu n'as pas été franche avec moi », dit Elric en tournant son regard vers les noirs sommets. « Tu sais quelque chose sur les forces qui tentent de nous arrêter.

– Ce que je sais est si peu... Mon père m'a donné quelques vagues avertissements avant de mourir, voilà tout.

– Qu'a-t-il dit exactement?

– Que Celui qui garde le Livre userait de tous ses pouvoirs pour empêcher les hommes d'accéder à sa sagesse.

– Et encore?

– C'est tout, Elric. Mais cela suffit, maintenant que les faits vérifient ces paroles. C'était ce Gardien qui l'a tué, Elric – ou un de ses sbires. Je ne désire pas partager son sort, malgré tout ce que le Livre pourrait faire pour moi. Je te croyais assez puissant pour m'aider – mais maintenant, j'en doute.

– Je t'ai pourtant protégée jusqu'à présent », dit Elric

simplement. « Et maintenant, dis-moi ce que tu cherches dans le Livre.

– J'ai trop honte. »

Elric n'insista pas, mais elle finit par lui dire, sans oser élever la voix : « Je cherche mes ailes.

– Tes ailes... tu espères trouver dans le Livre une formule magique qui fera pousser tes ailes? » Elric eut un sourire ironique. « Et c'est pour cela que tu cherches ce Livre qui recèle la plus haute sagesse du monde!

– Si tu étais un monstre dans ton propre pays, tu trouverais cela suffisamment important! » lui dit-elle d'un air de défi.

Elric la regarda, et ses iris cramoisis brûlèrent d'une étrange émotion. Il posa un doigt sur sa peau d'une pâleur mortelle, et un sourire amer tordit ses lèvres. « Je sais. Moi aussi, j'ai ressenti cela. » Il n'en dit pas davantage et Shaarilla, se sentant malheureuse et quelque peu honteuse, regagna l'arrière de la petite colonne.

Ils continuèrent en silence jusqu'à ce que Tristelune, qui chevauchait discrètement à l'avant, inclinât son large crâne sur le côté et, soudain, tirât sur les rênes.

Elric le rejoignit. « Que se passe-t-il?

– J'entends des chevaux venir vers nous. Et aussi des aboiements tristement familiers... cette fois, ces chiens du diable sont accompagnés par des cavaliers! »

Elric les entendait aussi maintenant, et il cria à Shaarilla : « Tu avais sans doute raison. Nous allons avoir des ennuis.

– Que faisons-nous? demanda Tristelune en se renfrognant.

« Essayons de gagner les montagnes. Nous parviendrons peut-être à les distancer. »

Cet espoir s'avéra vain. Malgré le rythme accéléré de leur galop, une meute noire apparut bientôt derrière eux et le vent leur apporta les aboiements aigus des chiens-oiseaux. Dans la nuit qui tombait rapidement, Elric parvint encore à apercevoir ceux qui les poursuivaient. Les cavaliers étaient drapés dans des capes noires et portaient de longues lances. Leurs visages, perdus dans l'ombre des grands capuchons dont ils étaient coiffés, étaient invisibles.

Elric et ses compagnons montaient une pente abrupte, en haut de laquelle se trouvaient d'importantes formations rocheuses. « Nous nous arrêterons à l'abri de ces rochers », décida Elric, « et essaierons de les repousser. En terrain découvert, nous risquerions d'être cernés. »

Tristelune trouva le bon sens d'Elric à son goût; ils arrêtèrent leurs montures couvertes de sueur et se préparèrent à faire face à la meute hurlante et à ses maîtres encapuchonnés de noir.

Les premiers chiens du diable se précipitaient déjà à l'assaut de la pente, leurs becs dégoulinant de salive et leurs serres grattant la pierraille. Debout entre deux rochers, et barrant le passage, Elric et Tristelune firent front; ils massacrèrent rapidement trois des animaux, mais plusieurs autres vinrent prendre leur place et, dans la nuit presque totale, les premiers cavaliers apparurent derrière eux.

« Xiros! » jura Elric en les reconnaissant soudain. « Ce sont les Seigneurs de Dharzi, morts depuis dix siècles. C'est contre des morts que nous nous battons, Tristelune, et contre les fantômes hélas trop tangibles de leurs chiens. Si la sorcellerie ne vient pas à notre secours, nous sommes perdus! »

Les revenants ne manifestaient aucune intention de prendre part à l'attaque. Ils attendaient, et regardaient de leurs yeux morts et étrangement lumineux les chiens diaboliques qui tentaient de percer le barrage d'acier mordant avec lequel Elric et son compagnon se défendaient. Elric mit son cerveau à la torture pour se souvenir d'une incantation susceptible de repousser ces morts-vivants. Il la trouva et, espérant que les forces qu'il invoquait daigneraient l'aider, l'entonna :

> *Que les lois qui gouvernent l'Univers*
> *Ne soient pas si aisément défiées*
> *Et que ceux qui défient les Rois de la Terre*
> *Connaissent le baiser d'une nouvelle mort.*

Rien ne se passa. « J'ai échoué », murmura Elric avec désespoir en empalant sur la pointe de son épée un autre de ces chiens démoniaques.

Et alors, la terre trembla et sembla bouillonner sous les chevaux qui portaient les noirs cavaliers. Au bout de quelques secondes, la secousse cessa.

« Mon incantation n'était pas assez puissante », soupira Elric.

Mais la terre trembla de nouveau, et de petits cratères se formèrent sur le flanc de la colline où les défunts Seigneurs de Dharzi attendaient impassiblement. Des pierres dévalaient la pente et les chevaux piaffaient nerveusement. Puis, la terre gronda.

« Reculez-vous! » hurla Elric. « Reculez, ou nous allons être engloutis avec eux! » Ils reculèrent vers Shaarilla et les chevaux, tandis que la terre se dérobait sous eux. Les montures des Dharzi piaffaient et se cabraient, et les chiens survivants regardaient leurs maîtres avec un étonnement muet. Un faible gémissement sortait des lèvres des morts-vivants. Soudain, toute une section de la colline se couvrit de fissures et de crevasses béantes. Elric et ses compagnons sautèrent en selle tandis que, avec un hurlement affreux, les défunts Seigneurs étaient engloutis par la terre, retournant dans les profondeurs d'où ils avaient été mandés.

Un gloussement impie monta du gouffre profond – c'était le rire moqueur des Rois de la Terre qui reprenaient possession de ceux qui leur revenaient. Les chiens démoniaques vinrent renifler les bords du gouffre en gémissant. Puis, d'un seul accord, la noire meute se jeta dans l'abîme, suivant ses maîtres vers le sort innommable qui les attendait.

Tristelune frissonna. « Vous avez de curieux amis, Maître Elric », dit-il en tournant son cheval vers les montagnes.

Ils atteignirent les noires montagnes le lendemain. Nerveuse et incertaine, Shaarilla les guida le long du sentier rocailleux qu'elle connaissait. Elle s'était résignée au sort qui les attendait et ne suppliait plus Elric de revenir en arrière. Elric, lui, brûlait d'impatience et était obsédé par la certitude qu'il trouverait enfin la vérité ultime de l'existence dans le Livre des Dieux Morts. Tristelune était gai et sceptique, et Shaarilla consumée par de noirs pressentiments.

La pluie tombait toujours, et le vent faisait rage au-dessus d'eux. Alors que la pluie redoublait, ils parvinrent, enfin, devant l'ouverture béante d'une grande caverne.

« Je ne puis vous guider plus loin », dit Shaarilla avec lassitude, « le Livre se trouve quelque part au-delà de cette entrée. »

Elric et Tristelune se regardèrent, ne sachant pas très bien quoi faire. Ils semblaient presque déçus d'être si près du but – car l'entrée de la caverne n'était apparemment ni fermée, ni gardée.

« C'est inconcevable », dit Elric. « Avoir mis tant d'embûches sur notre route... et nous permettre d'arriver

jusqu'ici, sans personne pour nous empêcher d'entrer...
Shaarilla, es-tu *certaine* de l'endroit? »

La jeune femme lui désigna de la main le roc au-dessus
de l'entrée; Elric reconnut instantanément le curieux
symbole qui y était gravé, et s'exclama : « Le signe du
Chaos! J'aurais dû m'en douter...

— Que signifie ce signe? » demanda Tristelune.

« C'est le symbole de la destruction permanente et de
l'anarchie. Nous nous trouvons sur un territoire présidé par
les Seigneurs de l'Entropie ou un de leurs subordonnés.
Voilà donc qui est notre ennemi! Cela ne peut que
confirmer l'importance extrême de ce Livre pour l'ordre
des choses sur cette planète, voire même dans la galaxie ou
dans l'univers entier! »

Tristelune le regarda avec stupéfaction, car ces deux
derniers termes ne signifiaient rien pour lui. « Expliquez-
vous mieux, ami Elric.

— De nombreux sorciers et philosophes croient que
l'univers est gouverné par deux forces contradictoires en
lutte perpétuelle », répondit Elric. « Ces deux forces sont
nommées Loi et Chaos, et représentent, du moins on le
suppose, des valeurs supérieures aux notions humaines du
Bien et du Mal. Les partisans du Chaos disent que dans
leur monde tout est possible – tandis que ses adversaires
affirment que sans la Loi rien de matériel ne pourrait
exister.

» Comme la plupart des sorciers, je ne prends pas parti
dans cette querelle, et crois qu'un équilibre entre les deux
forces est souhaitable. Je vois que nous avons été mêlés à
une dispute entre ces deux forces. Il est évident que le
Livre est précieux pour les deux factions, et je suppose que
le pouvoir qu'il nous permettrait de libérer inquiète les
tenants de l'Entropie. On dit qu'ils doivent obéissance à un
Code qui leur interdit de s'immiscer directement dans les

100

affaires des hommes – et c'est pourquoi ils ne se sont pas manifestés à nous. J'espère enfin obtenir la réponse à une des questions qui me tourmente : existe-t-il une Force ultime qui gouverne les factions opposées de la Loi et du Chaos ? »

Elric s'avança dans l'entrée, essayant de percer les ténèbres. Les autres le suivirent en hésitant.

« La caverne semble profonde. Il faut aller voir jusqu'où elle s'étend », dit Elric.

« Espérons qu'elle ne s'étend pas trop *vers le bas* », dit Tristelune avec ironie tout en faisant signe à Elric de prendre leur tête.

Bientôt, ils n'avancèrent plus qu'à tâtons. Leurs voix se répercutaient avec force sur les parois – et la pente du sol s'accrut fortement.

« Ce n'est pas une caverne », murmura Elric, « mais un *tunnel*. Quant à savoir où il mène...»


Plusieurs heures durant, ils descendirent dans une obscurité totale, se raccrochant les uns aux autres et prenant garde où ils posaient leurs pieds. La pente allait s'accentuant. Ils perdirent tout sens de la durée; Elric avait l'impression de vivre un rêve. Les événements étaient devenus si imprévisibles et incontrôlables que sa pensée ne pouvait plus les suivre. Le tunnel était long et sombre, froid et large. Seul le terrain sur lequel ils marchaient semblait avoir conservé une certaine réalité. Il en vint à se demander s'ils bougeaient réellement – ou si c'était le sol qui défilait sous eux. Ses compagnons se pressaient contre lui, mais il était à peine conscient de leur présence. Il était perdu; son esprit était engourdi. Parfois, un vertige le prenait et il croyait se trouver sur les bords d'un précipice. D'autres fois, il trébuchait et son corps douloureux heurtait la pierre dure, alors qu'il croyait tomber dans un gouffre sans fond.

Il obligeait ses jambes à marcher, mais n'était pas du tout sûr d'avancer. Le temps – le temps était devenu un concept vide de sens.

Enfin, il perçut au loin une lueur bleutée – et il sut qu'ils avaient, en fait, avancé. Il se mit à courir mais la pente était forte et il dut ralentir. L'air froid du tunnel souterrain dégageait une odeur étrangère – la peur, telle un fluide irrésistible, le submergea.

Les autres devaient ressentir la même chose – Elric le sentait à leur silence. Ils descendirent lentement vers la lueur pâle et bleue.

Ils sortirent du tunnel, et furent frappés de crainte et de respect par la vision surnaturelle qui se présenta à eux. L'air même était de cette étrange couleur bleue qui les avait attirés. Ils se tenaient sur un promontoire rocheux et, bien qu'il parût faire *noir,* l'inquiétante lumière bleue éclairait une étincelante plage argentée qui s'étendait à leurs pieds. Une mer noire y déferlait sans arrêt, pareille à un géant liquide dormant d'un sommeil agité. Des épaves diverses étaient éparpillées sur la plage d'argent – carcasses de navires aux formes curieuses, et dont aucune n'était semblable aux autres. Au loin, perdue dans l'obscurité, se profilait une falaise abrupte. La mer se perdait dans la nuit – nul horizon n'était visible. Et il faisait froid – terriblement, amèrement froid. Malgré le ressac houleux des vagues, l'air n'était pas humide et l'on ne sentait pas le goût du sel. C'était un spectacle sinistre et impressionnant. A part eux-mêmes, seule la mer bougeait, et encore son incessant mouvement était-il hideusement *silencieux.*

« Que faisons-nous maintenant, Elric? » demanda Tristelune en frissonnant.

Elric secoua la tête et ils restèrent un long moment

immobiles jusqu'à ce que l'albinos, dont le teint blanc paraissait fantomatique dans cette lumière, dise : « Puisqu'il semble impossible de revenir sur nos pas, il faut nous risquer sur cette mer. » Sa voix était creuse, et il ne paraissait pas conscient de ses paroles.

Des marches taillées dans le roc descendaient vers la plage. Elric s'y engagea le premier, et les autres le suivirent, les yeux emplis d'une terrible fascination.


Ils traversèrent la plage de pierres cristallines, profanant le silence du bruit de leurs pas. Les yeux rouges d'Elric se fixèrent sur un des objets éparpillés sur la plage et il sourit, puis secoua sauvagement la tête comme pour s'éclaircir les idées. Il désigna d'une main tremblante un des bateaux et ses deux compagnons virent que, contrairement aux autres, il était intact. Il semblait vulgaire dans ce cadre austère, peint en rouge et jaune criards. En approchant, ils virent qu'il était en bois, mais d'une essence qu'aucun d'eux ne reconnut. Tristelune passa le doigt sur son bord.

« Dur comme du fer », murmura-t-il. « Pas étonnant qu'il n'ait pas pourri. » Il regarda à l'intérieur et réprima un frisson, puis ajouta sur un ton lugubre : « Je pense que son propriétaire ne verra aucun inconvénient à ce que nous l'empruntions. »

Elric et Shaarilla comprirent ce qu'il voulait dire en voyant le squelette tordu dans une position grotesque qui occupait le fond. Elric allongea le bras et saisit le sinistre objet puis le jeta sur les pierres étincelantes où il alla rouler en se désagrégeant, éparpillant les os de tous côtés. Le crâne s'arrêta à l'extrémité de la plage, fixant de ses orbites aveugles l'océan mouvant.

Pendant qu'Elric et Tristelune s'efforçaient de mettre le

bateau à flot, Shaarilla s'accroupit sur les bords de l'océan et plongea ses mains dans les vagues. Elle les retira immédiatement et les secoua vivement.

« Ce n'est pas de l'eau », dit-elle. Ils l'avaient entendue, mais ne dirent rien.

« Il nous faut une voile », murmura Elric. Le vent froid soufflait vers le large. « Une cape fera l'affaire. » Il ôta la sienne et la noua au mât. « Deux d'entre nous devront en tenir les extrémités. Cela nous donnera un minimum de contrôle sur notre direction. C'est un pis-aller, mais nous ne pouvons faire mieux. »

Ils poussèrent le bateau en évitant d'entrer dans ce qui n'était pas de l'eau.

Le vent gonfla la voile et le bateau fila vers le large à une vitesse qui étonna Elric – il s'élançait comme s'il était doué d'une volonté propre. Les bras douloureux d'Elric et de Tristelune avaient du mal à ne pas laisser échapper la voile improvisée.

La plage d'argent disparut rapidement derrière eux. Ils ne voyaient presque plus rien, tant la pâle lumière bleutée avait du mal à pénétrer l'obscurité. Ce fut alors qu'ils entendirent au-dessus d'eux de brusques battements d'ailes.

Trois massives créatures simiesques fonçaient vers eux, soutenues par de grandes ailes de cuir. Shaarilla les reconnut et s'exclama :

« Des clakars! »

Tristelune tira son sabre, en disant : « Ce n'est qu'un nom pour moi. Que sont-ils? » Il ne reçut pas de réponse car le premier animal était déjà sur eux, sa gueule ouverte révélant des crocs redoutables couverts de bave. Tristelune lâcha son coin de la voile et sabra la bête, mais elle s'était mise hors d'atteinte de quelques battements de ses ailes immenses.

Elric dégaina *Stormbringer* et fut stupéfait, car la lame restait muette et, au lieu du puissant flot vital habituel, son bras ne ressentit qu'un léger picotement. Sur le moment, il fut pris de panique car, sans la puissance magique de son épée, il perdrait bientôt toute vitalité. Luttant farouchement contre sa peur, il usa de son épée pour se défendre contre la brusque attaque d'un des singes ailés.

Le singe s'agrippa à l'épée, faisant tomber Elric sur le dos, mais il hurla de douleur lorsque la lame pénétra dans sa paume crispée, coupant plusieurs doigts qui tombèrent, sanglants et agités de mouvements réflexes, sur le pont. Elric s'agrippa au bastingage et se releva tandis que le singe ailé, glapissant de douleur, revenait à l'attaque. Rassemblant toutes ses forces, Elric empoigna la lourde épée des deux mains et l'abattit, tranchant net une des ailes de cuir de la créature qui s'affala sur le pont. Estimant au jugé l'emplacement du cœur, Elric plongea sa lame sous le sternum. Le singe s'immobilisa.

Tristelune se battait férocement contre les deux autres singes ailés qui l'avaient attaqué simultanément. Un genou à terre, il frappait au hasard. Il avait profondément entaillé la tête d'une des bêtes, de l'oreille à la gueule, mais elle revenait à la charge malgré la souffrance atroce qu'elle devait ressentir. Elric lança *Stormbringer* dans l'obscurité et elle alla se ficher dans la gorge de l'animal blessé, qui empoigna la lame dans un vain effort pour tenter de l'arracher et tomba par-dessus bord. Son corps flotta d'abord sur la masse liquide, puis s'enfonça lentement. Elric se précipita frénétiquement et se pencha par-dessus le bastingage pour saisir la garde de son épée qui, chose incroyable, s'enfonçait avec l'animal. Elric, qui connaissait les propriétés de *Stormbringer*, était stupéfait – une fois, il l'avait jetée dans la mer et elle avait refusé de couler. Et maintenant, elle s'enfonçait sous la surface, comme une lame vulgaire. Il parvint à empoigner le pommeau et retira l'épée de la carcasse du singe ailé.

Mais ses forces l'abandonnaient rapidement. C'était incroyable. Quelles lois inconcevables gouvernaient ce monde souterrain? Que faire pour retrouver les forces qui l'abandonnaient? Sans le pouvoir de son épée runique, c'était impossible!

De sa lame courbe, Tristelune avait étripé la dernière bête, et il s'employait à la basculer par-dessus bord. Il se tourna vers Elric avec un sourire de triomphe.

« Beau combat », dit-il.

Elric secoua la tête. « Nous devons nous hâter de traverser cette mer, sans quoi nous sommes perdus. Mon pouvoir m'abandonne.

— Comment est-ce possible?

— Je l'ignore. Peut-être les forces de l'Entropie sont-elles trop puissantes ici. Il faut faire vite, le moment n'est pas aux spéculations. »

Le regard trouble et inquiet, Tristelune se concentra sur sa tâche.

Elric tremblait de faiblesse, tenant la voile battante avec ce qui lui restait de force. Shaarilla s'approcha pour l'aider, et posa ses mains près des siennes sur la voile. Son regard recelait une profonde sympathie.

« Qu'étaient ces choses? » demanda Tristelune en haletant sous l'effort; ses dents dénudées brillaient, blanches, dans la nuit.

« Des clakars », répondit Shaarilla. « Ce sont les lointains ancêtres de mon peuple, que l'on croit être le plus ancien de cette planète.

— Ceux qui essaient de nous arrêter dans notre quête feraient mieux de trouver un moyen plus original », dit Tristelune en souriant. « Ces vieilles méthodes sont inefficaces. » Mais ses deux compagnons ne sourirent pas de sa boutade, car Elric était sur le point de s'évanouir et Shaarilla trop soucieuse de son état.

Tristelune leur tourna le dos et fixa les sombres vagues. Au bout de quelque temps, il s'écria avec exaltation : « Nous approchons d'une terre! »

Il disait vrai et ils en approchaient rapidement – trop rapidement. Elric se redressa péniblement et parla avec effort : « Il faut amener la voile. » Tristelune lui obéit. Le bateau ralentit à peine et frappa de plein fouet une autre plage d'argent dans laquelle il creusa un profond sillon avant de s'immobiliser si brutalement que ses trois occupants se trouvèrent précipités contre le bastingage.

Shaarilla et Tristelune se relevèrent et soutinrent l'albinos, marchant avec difficulté sur les galets cristallins. Ils arrivèrent enfin sur de la mousse épaisse qui étouffait le bruit de leurs pas. Ils y couchèrent l'albinos et le regardèrent avec inquiétude, incertains de ce qu'ils devaient faire.

Elric essaya de se relever, mais en fut incapable. « Il me faut du temps », dit-il avec difficulté. « Je ne vais pas mourir... mais déjà ma vue faiblit. Mon seul espoir est que la lame noire retrouve son pouvoir. »

Dans un ultime effort, il tira *Stormbringer* de son fourreau et eut un sourire de soulagement en entendant la noire épée runique gémir doucement. Son chant devint plus fort et des flammes noires coururent le long de sa lame. Déjà, une vie nouvelle coulait dans le corps d'Elric – mais son regard cramoisi dénotait une infinie tristesse.

« Oh », gémit-il, « comme vous le voyez, je ne suis rien sans cette lame noire. Que me fait-elle devenir? Suis-je lié à elle à jamais? »

Ses compagnons ne lui répondirent pas. Ils ressentaient une émotion indéfinissable, mélange de peur, de haine et de pitié, et d'autre chose encore...

Elric se leva, encore tremblant et, sans un mot, les guida sur la colline moussue vers une lumière plus naturelle filtrant du haut. Ils virent qu'elle provenait d'une large cheminée communiquant avec l'extérieur, et elle leur permit de distinguer une forme noire et irrégulière qui s'élevait dans l'ombre.

En approchant, ils virent que c'était un château de pierre noire, s'étendant, immense, sous une couche protectrice de lichen vert foncé. Des tours semblaient s'élever au hasard de l'antique structure dans laquelle ne s'ouvrait nulle fenêtre, l'unique orifice visible étant un haut portail condamné par d'épais barreaux qui semblaient chauffés au rouge bien que ne dégageant aucune chaleur. Au-dessus de ce portail, se trouvait, couleur d'ambre flamboyant, le signe des Seigneurs de l'Entropie, huit flèches irradiant d'un moyeu central. Il semblait être suspendu dans l'air, sans toucher la pierre noire recouverte de lichen.

« Il semble que notre quête s'achève ici », dit Elric d'une voix sombre. « Ici ou nulle part.

— Avant d'aller plus loin, ami Elric, j'aimerais que vous me disiez ce que vous cherchez », murmura Tristelune. « Je pense avoir mérité de le savoir.

— Un livre », dit Elric négligemment, « le Livre des Dieux Morts. Il se trouve dans les murs de ce château – de cela, je suis certain. »

Tristelune sourit en haussant les épaules. « Ma question était inutile, puisque les mots que vous utilisez ne signifient rien pour moi. J'espère avoir droit à une petite part du trésor qu'il représente, quelle que soit sa nature. »

Elric sourit malgré l'angoisse qui l'étreignait, mais au lieu de répondre à Tristelune, il dit : « Encore faudrait-il pouvoir pénétrer dans ce château. »

Comme si les portes l'avaient entendu, les barreaux

rougis virèrent au vert pâle puis de nouveau au rouge, et enfin disparurent. L'entrée était libre – plus rien ne les empêchait de la franchir.

« Cela ne me plaît guère », grommela Tristelune. « C'est trop facile. Un piège nous attend – allons-nous y tomber parce que tel est le plaisir de celui qui hante ces lieux?

– Que pouvons-nous faire d'autre? » demanda calmement Elric.

« Revenir en arrière, ou bien avancer. Mais éviter ce château... ne pas affronter Celui qui garde le Livre! » Shaarilla l'avait agrippé par le bras, et le regardait avec des yeux suppliants et agrandis par la peur. « Oublie le Livre, Elric!

– *Maintenant?* » dit le Melnibonéen avec un rire dénué de joie. « Après tout ce voyage? Non, Shaarilla, la vérité est trop proche. Plutôt mourir que renoncer à la sagesse du Livre maintenant qu'il est à portée de la main. »

Shaarilla le lâcha et lui dit avec désespoir : « Mais nous ne pouvons pas nous battre contre les serviteurs de l'Entropie...

– Ce ne sera peut-être pas nécessaire. » Elric avait peine à croire ses propres paroles. Une sombre émotion, d'une terrible intensité, l'étreignait. Tristelune regarda Shaarilla.

« Elle a raison », dit-il avec conviction. « Nous ne trouverons que de l'amertume, et peut-être la mort, dans ces murs. Essayons plutôt de regagner la surface par ces escaliers. » Ce disant, il leur montra des marches taillées dans la paroi, qui montaient vers l'ouverture béante creusée dans le sommet de l'immense caverne.

Elric secoua la tête. « Vous êtes libre. »

Tristelune fit une grimace exprimant la perplexité. « Vous êtes bien l'homme le plus têtu que je connaisse, ami Elric. Bien. Puisque c'est tout ou rien, je suis avec vous.

Mais personnellement, j'ai toujours préféré les compromis. »

Elric avança lentement vers la sombre entrée du sinistre château.

Dans une large cour carrée, un immense personnage vêtu de flammes écarlates l'attendait.

Elric continua d'avancer, suivi de ses tremblants compagnons.

Un rire tonitruant sortit de la bouche du géant, et les flammes qui l'entouraient vacillèrent. Il était nu et sans armes, mais dégageait une puissance telle qu'elle faillit faire reculer les trois intrus. Sa peau écailleuse était couleur de pourpre et de fumée, et son corps massif constitué de muscles alertes et vibrants. Son crâne était allongé et ses yeux dénués de pupille pareils à des éclats d'acier bleu. Son corps entier était agité de puissants et joyeux soubresauts.

« *Bienvenue, Elric de Melniboné – je vous félicite pour votre remarquable ténacité!*

– Qui êtes-vous? » gronda Elric, la main sur l'épée.

« *Mon nom est Orunlu le Gardien et vous vous trouvez dans une forteresse des Seigneurs de l'Entropie.* » Le géant sourit avec cynisme. « *Vous vous enorgueillissez d'avoir apprivoisé quelques esprits naturels – mais il vous sera inutile de faire appel à cette chétive lame; vous devriez savoir que je suis incapable de vous nuire.*

– Il est donc vrai que les serviteurs de la Loi et du Chaos sont impuissants contre les hommes? » La voix d'Elric trahissait son émoi. « Vous ne pouvez pas nous arrêter?

– *Je ne l'ose pas, puisque mes efforts obliques ont échoué. Mais je dois admettre que votre folle entreprise m'étonne. Le Livre est de grande importance pour nous – mais que peut-il signifier pour vous? Je l'ai gardé pendant trois cents siècles sans jamais être tenté de découvrir*

*pourquoi mes Maîtres y attachaient tant d'importance —
au point de s'être donné la peine de l'arrêter dans sa
course vers le soleil et de l'incarcérer dans cette ennuyeuse
boule de terre peuplée par les clowns éphémères et agités
que vous nommez hommes.*

— J'y cherche la Vérité », dit Elric, se sentant stupide.

« *La seule Vérité est la Lutte Éternelle* », dit avec
conviction le géant vêtu de flammes écarlates.

« Qui règne sur les forces de la Loi et du Chaos? »
demanda Elric. « Qui contrôle vos destinées comme les
nôtres? »

Le géant plissa le front. « *Je ne puis répondre à cette
question, car je ne le sais pas.*

— Le Livre nous l'apprendra peut-être », dit Elric.
« Laissez-moi passer. Dites-moi où il se trouve. »

Le géant fit un pas de côté, souriant ironiquement. « *Il
se trouve dans une petite chambre de la tour centrale. J'ai
juré de ne jamais y mettre les pieds, sans quoi j'irais
jusqu'à vous y conduire. Allez, si vous le voulez. J'ai fait
mon devoir.* »

Elric, Tristelune et Shaarilla se dirigèrent vers l'entrée
de la tour. Mais avant qu'ils y pénètrent, le géant leur
adressa une mise en garde :

« *On m'a dit que le savoir contenu dans le Livre pourrait
faire pencher la balance en faveur de la Loi. Cela me
trouble, mais il me semble qu'il existe une autre possi-
bilité, encore plus inquiétante.*

— Quelle est-elle? » demanda Elric.

« *L'effet de son impact sur l'univers pourrait être tel
qu'il en résulterait une entropie totale. Mes Maîtres ne
désirent pas cela, car cela signifierait la destruction de
toute matière. Nous n'existons que pour lutter — non pour
vaincre, mais afin de maintenir la Lutte Éternelle.*

– Peu importe », lui dit Elric. « J'ai bien peu de choses à perdre, Orunlu le Gardien.

– *Vous pouvez aller, donc.* » Le géant traversa la cour et disparut dans l'ombre.

Dans la tour, une pâle lumière permettait de voir un escalier en spirale. Elric commença à monter en silence, mû par son funeste dessein. Tristelune et Shaarilla le suivirent en hésitant. Une acceptation résignée se lisait sur leurs visages.

Spirale après sombre spirale, l'escalier continuait à monter, et enfin ce chemin tortueux les mena à la chambre emplie d'une lumière aveuglante, multicolore et scintillante qui, loin de se répandre au-dehors, restait confinée dans la chambre qui l'abritait.

Elric s'avança en se protégeant les yeux avec son bras; ses pupilles rétractées perçurent la source de la lumière, posée sur une petite pierre au centre de la pièce.

Également gênés par l'intense lumière, Shaarilla et Tristelune le suivirent et furent pris d'une crainte respectueuse devant la vision qui leur fut révélée.

C'était un immense livre – le Livre des Dieux Morts, à la reliure incrustée de gemmes inconnues d'où la lumière émanait. Il resplendissait, il *palpitait* de lumière et de couleur!

« Enfin », s'exclama Elric d'une voix étouffée, « enfin la Vérité! »

Il avança du pas d'un homme ivre et ses mains se tendirent vers l'objet qu'il avait cherché avec une obstination aussi implacable. Ses mains touchèrent la reliure palpitante et l'ouvrirent en tremblant.

« Enfin, je vais savoir », dit-il avec une avidité triomphale.

La reliure tomba au sol avec fracas, envoyant rouler et rebondir les pierreries sur le pavage.

112

*Sous ses mains frémissantes il n'y avait plus qu'un tas de poussière jaunâtre.*

« Non! » C'était un cri d'angoisse et d'incrédulité. « Non! » Il plongea ses mains dans la fine poussière, et des larmes coulèrent sur son visage torturé. Avec un gémissement qui secoua tout son corps il tomba tête en avant sur le parchemin désintégré. Le Temps avait détruit le Livre – intouché, oublié peut-être, depuis trois cents siècles. Même les sages et puissants Dieux qui l'avaient créé avaient péri – et maintenant leur savoir tombait à son tour dans l'oubli.

Ils se trouvaient sur le flanc d'une haute montagne, face à de vertes vallées. Le soleil brillait dans un ciel immaculé. Derrière eux se trouvait l'ouverture béante qui menait dans les entrailles de la terre, jusqu'à la forteresse terrestre des Seigneurs de l'Entropie.

La tête basse, Elric regardait tristement ce monde. Sa lassitude et son désespoir étaient infinis. Il n'avait pas dit un mot depuis que ses compagnons l'avaient arraché, sanglotant, à la chambre du Livre. Il releva la tête : toute la douleur du monde se reflétait sur son visage pâle. Il parla sur un ton mi-moqueur, mi-amer, d'une voix pareille au cri des oiseaux de mer affamés survolant une mer stérile et des rivages déserts.

« Ainsi donc », dit-il, « je vivrai ma vie sans jamais savoir pourquoi je la vis, sans savoir si elle a un but ou non. Peut-être le Livre aurait-il pu me le dire... Mais l'aurais-je cru? Je suis l'éternel sceptique, qui ne saura jamais avec *certitude* si ses actions sont bien les siennes, ou s'il est guidé par une entité ultime.

« J'envie ceux qui *savent*. En attendant, je ne puis que poursuivre ma quête et espérer sans espoir qu'avant la fin de mon séjour terrestre, il me sera fait don de la Vérité. »

Shaarilla, les yeux emplis de larmes, prit la main inerte d'Elric entre la siennes.

« Elric... laisse-moi te réconforter. »

L'albinos eut un rire moqueur. « Il eût mieux valu que nous ne nous rencontrions jamais, Shaarilla de la Brume Dansante. Un moment, tu m'as redonné espoir, me faisant croire que j'étais enfin en paix avec moi-même. Et maintenant, à cause de toi, je suis plus désespéré que jamais. Il n'y a pas de salut dans ce monde – rien qu'un destin funeste et pervers. Adieu. »

Il libéra sa main et commença à descendre vers la vallée.

Tristelune jeta un regard perçant à Shaarilla, puis à Elric. Il prit quelque chose dans sa bourse et le mit dans la main de la jeune femme.

« Bonne chance », lui dit-il, puis il dévala la pente jusqu'à ce qu'il eût rattrapé Elric.

Sans ralentir le pas, l'albinos se retourna vers lui. « Qu'y a-t-il, ami Tristelune? Pourquoi me suivez-vous?

– Je vous ai suivi jusqu'ici, Maître Elric, et ne vois pas pourquoi je m'arrêterais en si bon chemin. Par ailleurs », ajouta-t-il en souriant, « je suis, contrairement à vous, matérialiste. Il va falloir manger, vous savez. »

Elric sentit son cœur se réchauffer. « Que voulez-vous dire, Tristelune? »

Le petit homme étouffa un rire. « Je fais de mon mieux pour tirer avantage de n'importe quelle situation. » Il fouilla dans sa bourse et exhiba dans sa paume un objet brillant d'un éclat aveuglant. C'était un des joyaux provenant de la reliure du Livre. » Il prit Elric par le bras.

« Venez, Maître Elric... dans quelle nouvelle contrée

irons-nous échanger ces babioles contre du vin et de la plaisante compagnie? »

Derrière eux, immobile comme une pierre sur le flanc de la montagne, Shaarilla les suivit d'un regard misérable jusqu'à ce qu'ils eussent disparus. Ses doigts lâchèrent le joyau que Tristelune lui avait donné; il roula, rebondit, et alla se perdre dans la bruyère. Puis, elle se retourna – face à la bouche béante et noire de la caverne.

# LA CITADELLE QUI CHANTE

La mer turquoise était paisible dans la lumière dorée du soir; debout près du bastingage, les deux hommes regardaient l'horizon brumeux du nord. L'un était grand et mince; il avait rejeté en arrière le capuchon de sa lourde cape noire, révélant ses longs cheveux d'une blancheur laiteuse. Son compagnon était petit et roux.

« Elle était belle, et vous aimait », dit ce dernier. « Pourquoi l'avez-vous quittée si brusquement?

– Oui, elle était belle, mais mon amour aurait fini par lui être fatal. Elle trouvera sa voie sans moi. J'ai déjà tué une femme que j'aimais, Tristelune, et je ne tiens pas à ce que cela se reproduise. »

Tristelune haussa les épaules. « Je me demande parfois, Elric, si votre ténébreuse destinée n'est pas la création de votre imagination morbide.

– Peut-être », dit Elric, « mais je préfère ne pas mettre cette théorie à l'épreuve. Parlons d'autre chose. »

La mer bouillonnait sous les efforts des rames qui les poussaient vers le port de Dhakos, capitale de Jharkor, un des plus puissants Jeunes Royaumes. A peine deux années auparavant, Dharkor, roi de Jarkor, avait trouvé la mort dans l'infortuné raid contre Imrryr, et Elric avait entendu dire que les habitants de Jharkor le blâmaient, à tort d'ailleurs, de la mort de leur jeune roi. Peu lui importait d'ailleurs, car la majeure partie de l'humanité ne lui inspirait que du dédain.

« Dans une heure, il fera nuit, et il faudra mouiller l'ancre », dit Tristelune. « Je vais me coucher. »

Elric allait lui répondre lorsqu'il fut interrompu par un cri venu du nid de pie.

« *Une voile par bâbord arrière!* »

La vigie avait dû somnoler, car le vaisseau qui venait vers eux était déjà nettement visible du pont. Elric laissa passer le capitaine, un noir Tarkeshite, qui arrivait en courant.

« Quel genre de bâtiment est-ce, capitaine? » demanda Tristelune.

« Une trirème de Pan Tang, un navire de guerre. Ils se préparent à nous éperonner. » Le capitaine courut vers l'homme de barre, lui criant de changer de cap afin d'éviter la collision.

Elric et Tristelune allèrent à bâbord pour mieux distinguer le navire. Ses voiles étaient noires, et sa coque également noire était rehaussée de lourdes dorures. Il avait trois rangs de rameurs, alors que leur navire n'en avait que deux. La courbe de sa haute proue et sa poupe surbaissée le rendaient élégant malgré sa masse imposante. Son étrave cuirassée de feuilles de cuivre fendait l'eau, et le vent était en sa faveur.

Pris de panique, les rameurs faisaient des efforts surhumains pour faire virer le navire, mais abattaient leurs rames dans la plus grande confusion. Tristelune regarda son compagnon en souriant :

« Ils n'y arriveront jamais. Préparez votre épée, ami. »

Pan Tang était une île de sorciers purement humains, qui tentaient de rivaliser avec l'ancien pouvoir de Melniboné. Leur marine était une des meilleures des Jeunes Royaumes et pillait sans discrimination. Jagreen Lern, Théocrate de Pan Tang et chef de l'aristocratie religieuse, était censé avoir fait un pacte avec les puissances du Chaos, et visait à la domination du monde.

Elric considérait les hommes de Pan Tang comme des arrivistes qui n'égaleraient jamais la gloire de ses ancêtres, mais il dut admettre que leur navire était impressionnant et n'aurait guère de mal à vaincre la galère tarkeshite.

La grande trirème était toute proche, et l'équipage retint son souffle car le choc était inévitable. Dans le bruit des planches fracassées, l'éperon les frappa à l'arrière, ouvrant une large voie d'eau sous la ligne de flottaison.

Immobile, Elric vit les grappins de fer s'abattre sur leur pont. Sans grand enthousiasme, sachant qu'ils n'étaient pas de taille à affronter des pirates entraînés et armés jusqu'aux dents, les Tarkeshites se précipitèrent vers la poupe pour empêcher l'abordage.

« Elric! » dit Tristelune d'une voix pressante. « Il faut les aider. »

Elric consentit à contrecœur. Il hésitait à tirer de son fourreau la noire lame d'origine surnaturelle avec laquelle il vivait en symbiose. Il s'était souvent interrogé sur la véritable nature de l'épée, se demandant quel était son degré de conscience et la haïssant pour ce qu'elle avait fait de lui – tout en sachant qu'il avait besoin d'elle pour survivre.

La première vague de guerriers vêtus d'armures écarlates, armés de sabres et de haches d'armes, sauta à bord et repoussa les rangs serrés des marins tarkeshites.

La main d'Elric s'abattit sur la garde de *Stormbringer*. Lorsqu'il dégaina, l'acier diabolique gémit et sembla émettre une étrange lumière noire. Elric courut pour aider les Tarkeshites, et dans sa main l'épée palpitait comme un être vivant.

La moitié des défenseurs étaient déjà hors de combat, et les autres reculaient, mais Elric s'avança, suivi de près par Tristelune. L'expression triomphale des guerriers écarlates se changea en surprise lorsque la longue lame d'Elric s'abattit sur l'un des leurs, fendant son armure de l'épaule au sternum.

Ils reconnurent l'albinos et son épée, car tous deux étaient légendaires. Malgré l'art consommé de Tristelune, ils l'ignorèrent pour concentrer leurs forces sur Elric, car sa mort était leur seule chance de survie.

Lorsque sa lame moissonnait les âmes, Elric était entièrement dominé par la soif meurtrière de ses ancêtres. Il ne fit qu'un avec son épée, et l'épée fut son maître. De tous côtés, les hommes tombaient, hurlant d'épouvante plutôt que de douleur en comprenant ce que l'épée leur retirait. Ils vinrent à quatre contre lui, faisant siffler l'air de leurs haches. Elric en décapita un, entailla profondément l'estomac d'un autre, trancha le bras du troisième et enfonça sa lame pointe la première dans le cœur du dernier. Les Tarkeshites l'acclamèrent et aidèrent Elric et Tristelune à nettoyer le pont de la galère qui s'enfonçait lentement.

Hurlant comme un loup, Elric saisit une corde faisant partie du gréement de la trirème noir et or, et sauta sur le pont du navire ennemi.

« Suivez-le! » cria Tristelune. « C'est notre seule chance. Le navire est perdu! »

La trirème avait des ponts surélevés à l'avant et à l'arrière. Sur le pont avant se tenait le capitaine, superbe dans son uniforme écarlate et bleu, mais consterné par la tournure que prenaient les événements. Il avait cru s'emparer sans effort du vaisseau tarkeshite et maintenant il semblait que c'était son propre vaisseau qui allait être pris!

Elric alla vers l'avant, et *Stormbringer* chanta une plainte triomphale et extatique. Les guerriers qui restaient avaient fort à faire avec Tristelune, qui avait pris la tête de l'équipage tarkeshite, et Elric put avancer sans encombre.

Le capitaine faisait partie de la théocratie et serait plus difficile à vaincre que ses hommes. Elric remarqua que son armure luisait de façon particulière – elle avait dû subir un traitement magique.

Le capitaine était le modèle même du théocrate : lourd, portant une barbe fournie, avec un regard noir et malicieux, et un nez fort et crochu. Ses lèvres rouges et épaisses souriaient; tenant d'une main une hache d'arme et de l'autre un sabre, il attendait de pied ferme Elric.

Elric empoigna *Stormbringer* des deux mains et porta un coup d'estoc vers l'estomac du capitaine, mais celui-ci fit un pas de côté, para son attaque avec son sabre et leva sa hache au-dessus de la tête nue de l'albinos. Elric se rejeta vivement de côté, mais trébucha et tomba, se laissant rouler juste à temps pour éviter l'épée qui érafla le pont. *Stormbringer* para de son propre mouvement la furieuse attaque de la hache, dont elle coupa le manche au ras de la cognée. Poussant un juron, le capitaine jeta le manche devenu inutile et, saisissant son sabre des deux mains, le leva. De nouveau, *Stormbringer* réagit une fraction se seconde avant son maître – et s'enfonça droit dans le cœur de l'homme. L'armure magique l'arrêta un instant puis, avec un chant plaintif et grinçant, *Stormbringer* fit éclater l'armure comme une coque de noix. L'adversaire d'Elric se retrouva torse nu, ses bras levés tenant encore le sabre. Il recula fixant de ses yeux exorbités la maléfique épée runique, qui le frappa sous le sternum et s'enfonça. Il grimaça, gémit, et lâcha son sabre pour agripper des deux mains la noire lame qui buvait son âme.

« Par Chardros... non... non... aaaaah! »

Il mourut en sachant que même son âme n'était pas à l'abri de la lame infernale de l'albinos au visage de loup.

Elric arracha *Stormbringer* au cadavre et sentit sa vitalité s'accroître lorsque l'épée lui transmit l'énergie volée.

Sur la trirème, on n'épargna que les esclaves. Le pont s'inclinait dangereusement, car l'éperon et les grappins étaient toujours reliés au navire qui coulait.

« Coupez les cordes des grappins et ramez à rebours pour dégager l'étrave! Vite! » hurla Elric. Se rendant compte de la situation, les marins s'empressèrent de lui obéir. Les esclaves ramèrent à rebours, et d'autres coupèrent les cordes. La trirème se redressa et l'épave alla à la dérive.

Elric compta les survivants. Il restait moins de la moitié de l'équipage; le capitaine avait été tué au cours du premier engagement. Il s'adressa aux esclaves :

« Ramez vers Dhakos, et je vous donne votre liberté! » Le soleil se couchait, mais il décida de naviguer aux étoiles.

« Pourquoi leur offrir la liberté? » lui demanda Tristelune avec incrédulité. « Nous aurions pu en tirer un bon prix; cela nous aurait payé de nos fatigues! »

Elric haussa les épaules. « Je leur offre la liberté parce que tel est mon bon plaisir, Tristelune. »

Le petit homme roux soupira et alla surveiller les hommes qui basculaient les morts et les blessés par-dessus bord. Il se dit qu'il ne comprendrait jamais l'albinos – cela valait d'ailleurs peut-être mieux.

Ce fut ainsi qu'Elric fit une entrée triomphale à Dhakos, alors qu'il avait primitivement voulu se glisser dans la ville sans se faire reconnaître.

Laissant à Tristelune le soin de négocier la vente de la trirème, dont il comptait partager le prix avec l'équipage, Elric, le visage dissimulé par son capuchon, se fraya un chemin à travers la foule et se dirigea ves une auberge qu'il connaissait, près de la porte ouest de la ville.

Plus tard dans la nuit, après que Tristelune fut monté se coucher, Elric resta à boire dans la taverne. Même les fêtards les plus acharnés étaient partis en reconnaissant leur compagnon. Elric buvait donc seul, à la lumière d'une unique torche de roseaux placée près de la porte.

La porte s'ouvrit et un homme jeune et richement vêtu apparut.

« Je cherche le Loup Blanc », dit-il en fouillant la sombre salle du regard.

« On me nomme parfois ainsi dans cette contrée », dit Elric calmement. « Est-ce Elric de Melniboné que vous cherchez?

– Oui; j'ai un message pour lui. » Le jeune homme entra, s'enveloppant de sa cape car il faisait froid, bien qu'Elric ne parût pas s'en rendre compte.

« Je suis le comte Yolan, député-commandeur de la garde de cette ville », dit-il avec arrogance, en toisant impoliment l'albinos. « Vous avez du courage d'être venu ici ouvertement. Pensez-vous que les habitants de Jharkor ont oublié que, il y a deux ans à peine, vous avez conduit leur roi dans un piège? »

Elric but une gorgée de vin, puis parla sans éloigner la coupe de ses lèvres. « Et à part ces discours, comte Yolan, quel est votre message? »

Yolan perdit de sa superbe, et sa voix faiblit. « Pour vous ce sont peut-être des discours, mais moi, en tout cas, je n'ai pas oublié. Le roi Dharmit ne serait-il pas là aujourd'hui si vous n'aviez pas fui lors de la bataille qui détruisit la puissance des Seigneurs de la Mer et votre propre peuple? N'avez-vous pas utilisé votre sorcellerie pour fuir, au lieu de vous en servir pour aider les hommes qui croyaient être vos camarades? »

Elric soupira. « Je sais que vous n'êtes pas venu ici pour me harceler de la sorte. Dharmit a trouvé la mort au cours de l'attaque contre la muraille défendant le labyrinthe d'Imrryr, et non dans la bataille finale dont vous parlez.

— Vous vous raillez de moi avec vos mensonges destinés à dissimuler votre lâche action », dit Yolan avec amertume. « Si j'en avais le pouvoir, je vous ferais manger par votre infernale épée. »

Elric se leva lentement. « Vos sarcasmes me fatiguent. Lorsque vous serez prêt à donner votre message, vous le direz à l'aubergiste. »

Il contourna la table et se dirigea vers l'escalier, mais Yolan le retint par le bras.

Elric tourna son visage d'une pâleur cadavérique vers le jeune noble, et ses yeux cramoisis lancèrent des éclairs dangereux. « Je ne suis pas habitué à de telles familiarités, jeune homme. »

Yolan laissa retomber sa main. « Excusez-moi — je n'aurais pas dû laisser mes sentiments l'emporter sur la diplomatie. Mon message demande la plus grande discrétion. Il émane de la reine Yishana. Elle a besoin de votre aide.

— Je suis aussi peu enclin à aider les autres que je le suis à justifier mes actes », dit Elric rudement. « Dans le passé, mon aide n'a pas toujours été à l'avantage de ceux qui l'avaient recherchée. Dharmit, qui était le demi-frère de votre reine, l'a découvert à ses dépens.

— Vos paroles font écho aux miennes, mais malgré ma

mise en garde, la reine désire vous voir en privé, cette nuit... » Il prit un air menaçant et se détourna. « Je vous ferai remarquer que je pourrais vous faire arrêter si vous refusez.

– Il se peut. » Elric se dirigea vers les escaliers. « Dites à Yishana que je pars à l'aube. elle peut venir me voir ici si c'est tellement urgent. » Il monta l'escalier, laissant Yolan bouche bée dans la taverne vide.


Theleb K'aarna était sombre. En dépit de son habileté dans les arts ténébreux, il était sot en amour – et Yishana, se prélassant dans les riches fourrures du lit, le savait. Il lui plaisait d'exercer son pouvoir sur un homme qui aurait pu la détruire par une simple incantation si son amour ne l'avait pas rendu si faible. Theleb K'aarna occupait une place élevée dans la hiérarchie de Pan Tang, mais elle savait qu'elle ne courait aucun danger avec lui; en fait, son intuition lui disait que ce sorcier qui aimait dominer les autres éprouvait également le besoin d'être dominé. Et elle lui rendait ce service – avec délectation.

Theleb K'aarna la regardait sombrement. « Comment cet envoûteur décadent pourrait-il t'aider là où je ne le peux pas? » marmonna-t-il en caressant son pied couvert de bijoux.

Yishana n'était ni jeune ni jolie, mais son corps aux formes pleines, son abondante chevelure noire et son visage sensuel possédaient une qualité hypnotique. Parmi les hommes que son plaisir avait convoités, rares étaient ceux qui avaient su lui résister.

Sa nature n'était pas douce, et elle ignorait l'abnégation autant que la justice et la sagesse. L'histoire ne lui donnerait certes pas un surnom flatteur. Pourtant il y avait en elle une force qui défiait les critères normaux – tous ceux qui la connaissaient l'admiraient, et elle était aimée de ses sujets – un peu comme on aime un enfant capricieux, mais avec une inébranlable loyauté.

Elle regarda son amant avec un rire moqueur.

« Tu as sans doute raison, Theleb K'aarna, mais Elric est une légende – l'homme dont on parle le plus mais qu'on connaît le moins dans ce monde. Cela me donnera l'occasion de découvrir ce dont les autres ne font que discuter : son vrai caractère. »

Theleb K'aarna caressa sa longue barbe noire et alla vers une table couverte de fruits et de vin. Il emplit deux coupes. « Si tu cherches de nouveau à me rendre jaloux, tu y réussis à merveille. Mais je n'ai guère espoir que tu réussisses. Les ancêtres d'Elric étaient des demi-démons. Cette race n'est pas humaine et ne peut être jugée selon nos critères. Il nous faut des années d'études tandis que pour eux, c'est une chose intuitive, naturelle. Tu ne vivras peut-être pas assez longtemps pour connaître ses secrets. Cymoril, sa cousine bien-aimée, mourut de son épée – et elle était sa fiancée!

– Ta sollicitude est très touchante », dit-elle en acceptant nonchalamment la coupe qu'il lui tendait. « Mais je persévère néanmoins dans mon plan. Après tout, il faut dire que tu n'as guère réussi à découvrir le secret de cette citadelle!

– Il y a des subtilités que je n'ai pas encore eu le temps d'investiguer!

– L'intuition d'Elric répondra peut-être aux questions qui t'échappent », dit-elle en souriant.

Elle alla vers la fenêtre et regarda le ciel limpide et la pleine lune éclairant les tours de Dhakos. « Yolan tarde. Si tout s'était bien passé, il devrait déjà nous avoir ramené Elric.

– C'était une erreur d'y envoyer Yolan. Il était lié

d'amitié avec Dharmit. Qui sait s'il n'a pas provoqué et tué Elric! »

Elle ne put se retenir de rire. « Tes désirs troublent ta raison. J'ai choisi Yolan parce que je savais qu'il serait impoli avec l'albinos — entamant son insouciance et éveillant peut-être sa curiosité. Yolan était un appât pour nous amener Elric!

— Et si Elric s'en était rendu compte?

— Mon intelligence n'est pas fantastique, mon amour — mais mon instinct me trompe rarement. Nous le saurons bientôt. »

Un peu plus tard, on gratta discrètement à la porte et une suivante entra.

« Le comte Yolan est revenu, Altesse.

— Seul? » Un sourire plana sur le visage du sorcier, mais il devait disparaître peu après lorsque Yishana, vêtue pour aller en ville, sortit en claquant la porte. « Idiote! » cria-t-il en jetant sa coupe sur la porte. Il n'avait pas réussi à résoudre l'énigme de la citadelle et maintenant, si Elric le remplaçait auprès de Yishana, il perdrait tout. Il plongea profondément, prudemment, dans ses pensées.

Bien qu'Elric affirmât être dénué de conscience, son regard tourmenté démentait cette affirmation. Il était assis à la fenêtre, buvant du vin fort et pensant au passé. Depuis le sac d'Imrryr, il avait parcouru le monde, cherchant la signification de sa vie, et un but à son existence.

Récemment, il avait cru trouver la réponse dans le légendaire Livre des Dieux Morts, censé contenir tous les secrets de l'univers, mais ce livre vénérable était tombé en poussière entre ses mains. Pour oublier Cymoril, qui hantait toujours ses cauchemars, il avait tenté d'aimer Shaarilla, la femme sans ailes de Myyrrhn — mais en vain, et il l'avait quittée.

Il pensait ne chercher que la paix, mais même la paix de la mort lui était refusée... Il était dans cette sombre humeur lorsque sa rêverie fut interrompue par un coup léger frappé à la porte.

Instantanément, son expression se durcit. Il se redressa avec arrogance et son regard rouge devint méfiant. Il posa sa coupe sur la table et dit à voix basse :

« Entrez! »

Une femme enveloppée dans une cape rouge foncé entra et referma la porte derrière elle. Elle resta immobile et silencieuse dans les ténèbres; nul n'aurait pu la reconnaître.

Puis elle prit la parole, d'une voix hésitante mais qui contenait un soupçon d'ironie.

« Vous êtes assis dans le noir, seigneur Elric. Je vous croyais endormi...

– Le sommeil, madame, est l'occupation qui m'ennuie le plus. Mais si le manque de lumière vous déplaît, je peux allumer une torche. » Il ouvrit un petit creuset contenant des braises ardentes, contre lesquelles il posa une mince baguette de bois et se mit à souffler doucement. Bientôt, les braises rougirent, la baguette prit, et il s'en servit pour allumer une torche de joncs.

La torche s'enflamma et fit danser les ombres sur les murs. La femme ôta son capuchon et la lumière révéla ses traits lourds et sensuels, encadrés par une masse d'épais cheveux noirs. Elle formait un étrange contraste avec le mince et grand albinos qui, la dépassant d'une tête, la fixait d'un regard impassible.

Elle n'était pas habituée à ce qu'on la regardât sans manifester d'émotions, et cette nouveauté lui plaisait.

« Vous m'avez fait appeler, seigneur Elric – et voyez, je suis venue. » Elle lui fit une manière de révérence.

« Reine Yishana », dit-il en lui répondant par un petit

salut. Elle sentait son pouvoir maintenant qu'il lui faisait face – un pouvoir encore plus attirant que le sien. Il ne semblait pas réagir à sa présence, et elle se prit à penser que cette situation, qu'elle avait espéré devenir intéressante, pouvait, ô ironie, s'avérer décevante. Mais cela même l'amusait.

Elric ne pouvait d'ailleurs s'empêcher d'être intrigué par cette femme. Ses sens blasés lui soufflaient que Yishana pourrait réveiller leur acuité. Cela le troublait et l'inquiétait à la fois.

Il calma ses émotions et dit négligemment : « J'ai entendu parler de vous, reine Yishana, en d'autres contrées que Jharkor. Asseyez-vous, si vous le désirez. » Il lui indiqua un banc et prit place sur le rebord du lit.

« Vous êtes plus courtois que le laissait entendre votre convocation », dit-elle en s'asseyant. Souriante, elle croisa les jambes. « Cela signifie-t-il que vous écouterez la proposition que j'ai à vous faire ? »

Il lui rendit son sourire – sans amertume, chose rare chez lui. « Je le pense. Vous êtes une curieuse femme, reine Yishana. Je croirais presque que vous avez du sang melnibonéen.

– Tous les " parvenus " des Jeunes Royaumes ne sont pas aussi simplets que vous le croyez, mon bon seigneur.

– Il se peut.

– En vous voyant ainsi, j'avoue qu'il m'est difficile d'ajouter foi à votre sinistre légende, et pourtant... » Elle inclina la tête sur le côté et le regarda franchement. « Il me semble qu'elle ne fait pas justice à votre subtilité.

– Il en est ainsi de toutes les légendes.

– Oh », dit-elle à mi-voix, « quelle force nous représenterions ensemble, vous et moi...

– Ce genre de spéculations m'agace prodigieusement,

reine Yishana. Dans quel but êtes-vous venue me voir?

— Je n'espérais même pas que vous m'écouteriez.

— Je vous écouterai, mais je ne vous promets rien de plus.

— Écoutez alors. Je pense que mon histoire vous intéressera. »

Elric l'écouta et, comme Yishana l'avait supposé, son récit retint son attention...

Il y avait quelques mois, lui dit Yishana, des paysans de la province de Gharavian s'étaient mis à parler de mystérieux cavaliers qui venaient enlever des jeunes gens et des jeunes femmes dans les villages.

Pensant que c'étaient des brigands, Yishana avait envoyé sur place un détachement de ses Léopards Blancs, les guerriers d'élite de Jharkor.

Aucun des Léopards Blancs ne revint. Une seconde expédition ne parvint pas à retrouver leurs traces mais découvrit, dans une vallée proche de la ville de Thokora, une étrange citadelle. Les descriptions étaient curieusement contradictoires. Pensant que les Léopards avaient été vaincus pour avoir attaqué la citadelle, l'officier commandant l'expédition se contenta de laisser quelques hommes pour surveiller la place et retourna immédiatement à Dhakos. Une seule chose était certaine : aucune citadelle n'existait dans cette vallée quelques mois auparavant.

Yishana et Theleb K'aarna prirent la tête d'une armée importante et allèrent à la vallée. Les hommes chargés de la surveiller avaient disparu. Dès qu'il vit la citadelle, Theleb K'aarna conseilla à Yishana de ne pas l'attaquer.

« C'était une vision féerique, seigneur Elric », continua Yishana. « La citadelle scintillait de toutes les couleurs de l'arc-en-ciel, brillantes et en constant mouvement. L'édifice paraissait irréel – tantôt ses contours étaient nettement dessinés, tantôt ils devenaient flous et semblaient sur le point de disparaître. Theleb K'aarna déclara que cela tenait de la sorcellerie, et personne ne douta de son affirmation. Sans doute, dit-il, était-ce une émanation du Domaine du Chaos. Cela me parut vraisemblable. » Elle se leva.

« Continuez », dit Elric en s'allongeant sur le dos.

Elle fit un geste d'impuissance. « Nous ne sommes pas accoutumés à de telles manifestations de sorcellerie, dans notre pays. Même Theleb K'aarna, qui est originaire de la Cité des Statues qui Hurlent, dans l'île de Pan Tang, était déconcerté.

— Vous avez donc battu en retraite », dit Elric impatiemment.

« Nous étions sur le point de le faire — en fait Theleb K'aarna et moi-même avions déjà tourné bride, suivis par l'armée, lorsque nous entendîmes la musique... une musique douce, belle, surnaturelle, douloureuse. Theleb K'aarna me cria de m'éloigner le plus vite possible. Je ralentis néanmoins le pas, attirée par la musique, mais il cravacha mon cheval qui m'emporta à la vitesse d'un dragon volant en plein ciel. Ceux qui étaient en tête avec nous purent s'échapper — mais les autres firent volte-face et retournèrent vers la citadelle, attirés par la musique. Près de deux cents hommes y allèrent — et disparurent.

— Que fîtes-vous alors ? » demanda Elric. Yishana vint s'asseoir à côté de lui sur le lit. Il se poussa pour lui faire place.

« Theleb K'aarna essaya de percer le secret de la citadelle — de découvrir son but, et son auteur. Jusqu'à présent, sa magie ne lui a guère appris de choses en dehors de ce dont il se doutait déjà : que le royaume du Chaos a envoyé la citadelle sur le Royaume de la Terre, et augmente lentement son domaine. Un nombre croissant de nos jeunes hommes et femmes sont enlevés par les suppôts du Chaos.

— Et ces suppôts? » Yishana se rapprocha encore de lui, et cette fois il ne recula pas.

« De ceux qui ont tenté de les mettre en échec nul n'a réussi — et peu ont survécu.

— Et que voulez-vous de moi?

— Aidez-moi. » Elle le regarda, son visage tout près du sien, et avança une main pour le toucher. « Vous connaissez et le Chaos et la Loi, d'une connaissance immémoriale, instinctive, si Theleb K'aarna dit vrai. Vos dieux, après tout, ne sont autres que les Seigneurs du Chaos.

— C'est l'exacte vérité, Yishana — et précisément parce que mes dieux sont ceux du Chaos, il serait contraire à mes intérêts de les combattre. »

Ce fut lui maintenant qui s'approcha d'elle. Souriant, il la regarda dans les yeux. D'un geste brusque, il la prit dans ses bras. « Peut-être serez-vous assez forte », dit-il énigmatiquement juste avant que leurs lèvres s'unissent. « Quant à cet autre problème — nous pourrons en discuter plus tard. »

Dans les vertes profondeurs d'un sombre miroir, Theleb K'aarna entrevit ce qui se passait dans la chambre d'Elric et fut pris d'une rage impuissante. Il tira sur sa longue barbe noire car, pour la dixième fois en une minute, l'image pâlissait. Et cette fois, malgré toutes ses incantations, elle ne revint pas. Il s'adossa dans son fauteuil de crânes de serpents et pensa à sa vengeance. Il avait tout le temps de la mûrir car, si Elric pouvait les aider dans l'affaire de la citadelle, il serait stupide de le tuer prématurément...


Dans l'après-midi du lendemain, trois cavaliers faisaient route vers Thokora. Elric et Yishana chevauchaient l'un près de l'autre, mais le troisième, qui était Theleb K'aarna, se maintenant à distance. Si Elric était le moins du monde embarrassé par la mauvaise humeur de l'homme qu'il avait remplacé auprès de Yishana, il n'en montrait rien.

Elric qui, en dépit de lui-même, trouvait Yishana plus que séduisante, avait consenti à aller voir la citadelle afin de déterminer sa nature exacte et suggérer une façon de la combattre. Avant de partir, il avait échangé quelques mots avec Tristelune.

Ils traversèrent les belles prairies de Jhakor, dorées par un soleil éclatant. Elric avait l'intention de profiter de ces deux journées de chevauchée.

Il ne se sentait certes pas malheureux en galopant au côté de Yishana, et riait de la voir si heureuse. Et pourtant, profondément enfoui dans son cœur, un noir pressentiment naquit en lui tandis qu'ils approchaient de la mystérieuse citadelle, et il remarqua que Theleb K'aarna semblait parfois empli d'une satisfaction qui ne lui disait rien de bon.

Il arrivait à Elric de lui crier : « Hé, vieux jeteur de sorts, pourquoi ne profitez-vous pas de cette promenade dans cette merveilleuse nature pour oublier les soucis de la cour? Vous faites une bien longue figure, Theleb K'aarna — respirez à pleins poumons et venez rire avec nous! » Ce sur quoi Theleb K'aarna prenait l'air plus renfrogné que jamais, et Yishana riait de lui, puis regardait Elric avec des yeux brillants de joie.

Ils arrivèrent ainsi à Thokora – qui n'était plus qu'un trou fumant, calciné et puant comme le fumier de l'enfer.

Elric flaira l'air. « C'est bien l'œuvre du Chaos. Vous aviez raison, Theleb K'aarna. Le feu qui a détruit cette ville n'est pas un feu naturel. Celui qui est responsable de cela a agi pour accroître son pouvoir. Comme vous le savez, sorcier, les Seigneur de la Loi et du Chaos maintiennent d'ordinaire un équilibre parfait et n'interviennent pas directement dans les affaires de notre Terre. Il est évident que, comme il arrive parfois, la balance s'est inclinée légèrement en faveur des Seigneurs du Désordre, leur donnant accès à notre monde. Il est normal qu'un sorcier terrestre demande pour une courte période l'aide du Chaos ou de la Loi, mais extrêmement rare qu'une de ces deux puissances puisse s'établir aussi fermement que notre ami de la citadelle semble l'avoir fait. Le plus inquiétant – pour vous du moins, qui êtes des Jeunes Royaumes – c'est qu'une fois établi, un tel pouvoir peut s'accroître. Peu à peu, en partant de cet acquis, les Seigneurs du Chaos pourraient étendre leur pouvoir à la Terre entière.

– C'est terrifiant », dit le sorcier, et sa peur n'était pas feinte. Certes, il lui arrivait de demander l'aide du Chaos, mais il n'était de l'intérêt de nul être humain d'être gouverné par lui.

Elric se remit en selle. « En route pour la vallée!

– Est-ce bien sage? » demanda Theleb K'aarna.

Elric éclata de rire. « Quoi? Et vous êtes un sorcier de Pan Tang, cette île qui prétend être aussi avancée en sorcellerie que mes ancêtres, les Empereurs de Lumière? Non, non – et de toute façon, je ne suis pas d'humeur à être prudent, aujourd'hui!

– Ni moi! » s'écria Yishana en cravachant son coursier. « Allons, messieurs, en route vers la Citadelle du Chaos! »


L'après-midi tirait à sa fin lorsqu'ils arrivèrent au sommet d'une des collines surplombant la vallée et purent enfin voir la mystérieuse citadelle.

Yishana l'avait décrite aussi bien que le permettaient les mots. En la regardant, Elric sentit ses yeux devenir douloureux, car elle semblait s'étendre sur un sinon sur plusieurs plans au-delà du Royaume Terrestre.

Elle étincelait de toutes les couleurs terrestres, ainsi que de nombreuses autres qui appartenaient, Elric le savait, à d'autres niveaux de l'existence. Même ses contours étaient incertains, et contrastaient fortement avec la vallée, devenue une sombre mer de cendres agitée d'un mouvement de va et vient et d'où s'élevaient parfois des geysers de poussière – montrant que l'équilibre fondamental de la nature avait été détruit par la présence de la surnaturelle citadelle.

« Alors ? » Theleb K'aarna avait fort à faire avec sa monture qui ne demandait qu'à prendre la fuite. « Avez-vous déjà vu pareille chose en ce monde ?

– En ce monde, certainement pas », répondit Elric. « Mais je l'ai déjà vue; lors de mon initiation ultime dans les arts de Melniboné, mon père m'avait emmené avec lui dans le Royaume du Chaos, sous notre forme astrale, pour y être reçu par mon protecteur, Arioch des Sept Ténèbres... »

Theleb K'aarna frissonna. « Vous êtes allé dans le Chaos ? Et ceci serait donc la citadelle d'Arioch ? »

Elric éclata d'un rire méprisant. « Cela ? C'est un taudis auprès des palais qu'habitent les Seigneurs du Chaos !

– Mais alors, *qui* réside ici ? » demanda Yishana.

« Si je me souviens bien, celui qui habitait cette citadelle lors de mon voyage à travers le Royaume du Chaos... n'était certes pas un des Seigneurs, mais plutôt un de leurs serviteurs. Non... » Il plissa le front. « Pas exactement un serviteur...

– Toujours vos devinettes ! » Theleb K'aarna tourna bride et commença à s'éloigner de la citadelle. « Je connais bien les Melnibonéens! Même mourant de faim, ils préfèrent un paradoxe élégant à une assiette de soupe! »

Elric et Yishana le suivirent à distance. Soudain, Elric tira sur les rênes et tendit le bras vers la vallée.

« Celui qui réside là-bas est un individu bien paradoxal. Il est plus ou moins le Fou des Seigneurs du Chaos. Il les amuse – et ils le respectent, le craignent peut-être même un peu. Il fait leurs délices avec ses devinettes cosmiques, ses farces satiriques spéculant sur la nature de la Main Cosmique qui maintient l'équilibre entre les forces de la Loi et celles du Chaos. Il jongle avec les énigmes, rit de ce que le Chaos respecte le plus, et traite avec sérieux ce dont ils se moquent... » Elric haussa les épaules. « C'est du moins ce qu'on m'a dit.

– Mais que fait-il ici?

– Que ferait-il ailleurs? Je pourrais sans doute deviner sans me tromper les mobiles du Chaos et de la Loi, mais même les Seigneurs des Mondes d'En-Haut ne peuvent comprendre ceux de Balo le Bouffon. On dit que lui seul est libre de circuler entre les Royaumes de la Loi et du Chaos, mais je n'ai jamais entendu dire qu'il fût venu sur Terre, ni d'ailleurs qu'il eût commis des ravages comme ceux dont nous avons été témoins. Il serait sans doute amusé de savoir que c'est pour moi une énigme absolue.

– Il doit pourtant y avoir un moyen de découvrir les raisons de sa visite », dit Theleb K'aarna avec un pâle sourire. « Si quelqu'un entrait dans la citadelle...

– Allons, allons, sorcier », railla Elric, « j'ai certes peu d'amour pour la vie, mais il y a des choses auxquelles je tiens – ne serait-ce que mon âme! »

Theleb K'aarna commença de descendre la colline, mais Elric demeura plongé dans ses pensées, et Yishana resta avec lui.

« Tu sembles plus inquiet que les faits ne le justifient », lui dit-elle.

« *C'est* inquiétant. Si nous continuons à nous occuper de cette citadelle, il se pourrait fort bien que nous nous trouvions mêlés à quelque dispute entre Balo et ses maîtres – sans oublier éventuellement les Seigneurs de la Loi. Cela pourrait aisément conduire à notre perte, car les forces en jeu sont puissantes et dangereuses au-delà de tout ce que nous connaissons sur Terre.

– Mais nous ne pouvons pas simplement laisser ce Balo détruire nos villes, enlever nos plus beaux enfants, et peut-être bientôt dominer tout Jharkor! »

Pour toute réponse, Elric soupira.

« Ta sorcellerie, Elric, ne suffit-elle pas à renvoyer Balo dans le Chaos d'où il vient, et à colmater la brèche qu'il a faite dans notre Royaume?

– Même les Melnibonéens ne peuvent égaler le pouvoir des Seigneurs d'En-Haut – et mes ancêtres étaient infiniment plus versés dans la sorcellerie que moi. Mes meilleurs alliés ne servent ni la Loi ni le Chaos – ce sont des esprits élémentaires, seigneurs du feu, de la terre, de l'eau et de l'air; ils ont des affinités avec les bêtes et les plantes. Ce sont d'excellents alliés dans une bataille terrestre – mais ils seront de peu d'utilité face à un Balo. Laisse-moi réfléchir... du moins, en m'opposant à Balo, je ne m'attirerais pas nécessairement le courroux de mes protecteurs. Je suppose... »

Les vertes et luxuriantes collines ondulaient à leurs pieds vers la prairie qui se déroulait jusqu'à l'horizon sous le soleil dardant ses rayons dans un ciel immaculé. Un grand oiseau de proie tournait au-dessus d'eux; Theleb K'aarna, déjà loin, se retourna sur sa selle pour les appeler d'une voix qu'ils ne pouvaient plus entendre.

Yishana semblait découragée. Baissant la tête et évitant

le regard d'Elric, elle commença lentement à avancer vers le sorcier de Pan Tang. Elric la suivit, indécis mais guère soucieux. Que lui importait après tout, si...?

La musique s'éleva, à peine audible au début, puis s'enfla avec une douceur poignante et irrésistible, évoquant des souvenirs nostalgiques, apaisante quoique douant la vie d'une signification dramatique. Si elle émanait d'instruments, ils n'étaient certes pas terrestres. Elric ressentit le désir d'aller découvrir sa source, mais le réprima. Yishana, elle, avait visiblement du mal à lui résister. Le visage extatique, les lèvres frémissantes, et les yeux emplis de douces larmes, elle tourna bride.

Au cours de ses errances dans les royaumes surnaturels, Elric avait eu l'occasion d'entendre pareille musique – elle rappelait d'ailleurs les bizarres symphonies de l'ancienne Melniboné et ne l'attirait pas aussi irrésistiblement que Yishana. Il ne tarda pas à voir qu'elle était en danger et, lorsqu'elle passa devant lui en éperonnant sa monture, il tendit la main pour saisir sa bride.

Mais Yishana fit claquer son fouet et, poussant un juron, Elric lâcha la bride. Elle monta au galop jusqu'à la crête de la colline et disparut sur l'autre versant.

« Yishana! » cria-t-il désespérément, mais le flux musical couvrait sa voix. Il regarda en arrière, espérant que Theleb K'aarna viendrait l'aider, mais le sorcier s'éloignait rapidement. Il était évident qu'il avait pris sa décision en entendant les premières notes de la musique.

Elric galopa à la suite de Yishana, tout en lui hurlant de revenir. Arrivé au sommet de la colline, il la vit chevaucher à bride abattue vers l'étincelante citadelle.

« *Yishana! Tu cours à ta perte!* »

Elle avait déjà atteint les abords de la citadelle, et les sabots de son cheval soulevaient des vagues de couleurs irisées en frappant le sol métamorphosé par la présence du

Chaos. Bien qu'il sût qu'il était trop tard pour l'arrêter, Elric continua à galoper vers elle, espérant contre toute raison qu'il la rejoindrait avant qu'elle entre dans la citadelle même.

Au moment de pénétrer dans les volutes de poussière irisée, il vit douze Yishana entrer dans la citadelle par autant de portes, illusion créée par l'étrange réfraction de la lumière – il ne put dire laquelle des douze Yishana était la vraie.

Avec sa disparition, la musique cessa, et Elric crut entendre un rire bref et subtil la prolonger. Son cheval devenait de plus en plus rétif. Il mit pied à terre, s'enfonçant jusqu'aux genoux dans la poussière radieuse, et le renvoya. Le cheval partit au galop, hennissant de terreur.

La main gauche d'Elric se posa sur la garde de son épée runique, mais il hésita à la tirer. Une fois dégainée, elle exigerait des âmes avant d'accepter de regagner son fourreau. Bien que ce fût sa seule arme, il retira la main, et l'épée frémit de colère à son côté.

« Pas encore, *Stormbringer*. Nous trouverons peut-être là des forces surpassant même les tiennes! »

Il commença à avancer au sein des tourbillons de lumière qui lui opposaient une légère résistance. Le scintillement des couleurs l'aveuglait à moitié – passant d'une harmonie bleu foncé, argent et rouge à une autre, or, vert pâle et ambre. Il ressentit aussi une perte vertigineuse du sens de l'orientation – les distances et les dimensions avaient perdu toute signification. Il reconnut ce que seule sa forme astrale avait expérimenté : l'étrange qualité hors du temps et de l'espace qui est caractéristique des Royaumes d'En Haut.

Il alla à la dérive, essayant d'avancer dans la direction où il pensait que Yishana avait disparu, car il avait perdu de vue le portail et ses innombrables réflexions.

Il comprit que, s'il ne voulait pas dériver ainsi jusqu'à l'épuisement, il devait dégainer *Stormbringer*, car l'épée runique, forgée par le Chaos, pouvait résister à son influence.

Cette fois, lorsqu'il empoigna *Stormbringer*, un courant douloureux monta le long de son bras, infusant une vitalité nouvelle à son corps. L'épée surgit du fourreau et la large lame noire gravée de runes anciennes émit un noir éclat qui dispersa les couleurs changeantes du Chaos.

Elric poussa le séculaire ululement de guerre de son peuple et avança vers la citadelle, en cinglant de son épée les images intangibles qui se formaient de tous côtés. La vraie porte était juste devant lui – *Stormbringer* lui avait permis de la distinguer des mirages. Le portail était ouvert. Il s'arrêta un moment, remuant les lèvres pour se souvenir d'une invocation qui pourrait lui servir par la suite. Arioch, Seigneur du Chaos, Dieu-Démon protecteur de ses ancêtres, était négligent et capricieux. Il ne pouvait se fier à lui pour l'aider ici, à moins que...

D'un pas lent et gracieux, une bête couleur d'or, aux yeux de rubis incandescent, s'avança dans le passage qui faisait suite au portail. Tout lumineux qu'ils fussent, ses yeux semblaient aveugles. Son énorme museau canin était fermé. Et pourtant, elle avançait droit sur Elric. En approchant, elle ouvrit soudain la gueule, révélant des crocs couleur de corail. Silencieuse, elle s'arrêta, sans jamais poser les yeux sur l'albinos, puis bondit!

Elric recula en levant son épée pour se défendre. Le poids de la bête le jeta au sol et il sentit son corps le recouvrir. Elle ne tenta pas de l'étriper, mais son corps était froid... Et la bête resta couchée sur lui, laissant le gel le pénétrer.

Tremblant de froid, Elric tenta de repousser le corps glacial de la bête couleur d'or. *Stormbringer* gémit et marmonna dans sa main, puis perça le corps de la bête. Une vigueur terrible et glaciale se diffusa dans le corps de l'albinos. S'aidant de la propre force vitale de la bête, il tenta de la soulever. Elle continuait à l'écraser, mais émettait maintenant un son aigu, à peine audible. La petite plaie que *Stormbringer* lui avait causée devait la faire souffrir.

Avec désespoir, car le froid lui faisait mal, Elric poussa l'épée dans le corps de la bête. De nouveau, le son aigu, de nouveau un flux d'énergie glaciale, et de nouveau il tenta de la soulever. Cette fois, il y parvint, et la bête retourna en rampant vers le portail. Se levant d'un bond, Elric leva *Stormbringer* et l'abattit sur la créature couleur d'or, dont le crâne vola en éclats comme de la glace.

Elric courut dans le passage, qui s'emplit de rugissements et de glapissements dont les échos amplifiés se réverbéraient avec force. La bête glaciale semblait avoir retrouvé pour son cri d'agonie la voix qui lui faisait défaut à l'extérieur.

Le passage s'inclina vers le haut et devint une rampe en spirale qu'il monta en courant. Il regarda sous lui et frissonna en voyant un abîme sans fond empli de couleurs subtiles et périlleuses dont il eut peine à détourner le regard. Son corps même était attiré par le gouffre mais, serrant plus fort le pommeau de son épée, il se força à reprendre sa montée.

Il leva les yeux, et eut la même vision qu'en regardant vers le bas. Seule la rampe gardait une certaine consistance, et encore avait-elle pris l'apparence d'une pierre précieuse extrêmement mince à travers laquelle il pouvait voir le gouffre d'en bas, et dans laquelle se reflétait le gouffre d'en haut.

Les verts, les jaunes et les bleus étaient prédominants, mais il y avait aussi des traces de rouge foncé, de noir et

140

d'orange, ainsi que d'autres couleurs inexistantes dans le spectre normalement perçu par l'œil humain.

Elric savait qu'il se trouvait dans une province des Mondes d'En Haut, et qu'il devait donc s'attendre à de nouveaux dangers.

Pourtant, rien ne se manifesta lorsqu'il parvint à l'extrémité de la rampe et s'avança sur un pont fait de la même matière, qui franchissait l'abîme scintillant jusqu'à une arcade dont émanait une immuable lumière bleue.

Il traversa prudemment le pont et entra non moins prudemment sous l'arcade. Ici, tout était bleu, même son corps; et au fur et à mesure qu'il avançait, ce bleu gagna en profondeur.

*Stormbringer* se mit à murmurer et, averti par l'épée ou par quelque sixième sens, Elric tourna brusquement à droite où une autre arcade était apparue, dont émanait une lumière aussi rouge que l'autre était bleue. Au point de rencontre des deux lumières se formait un violet d'une richesse extraordinaire, vers lequel il se sentit attiré hypnotiquement, comme il l'avait été par le gouffre. De nouveau, sa volonté fut plus forte et il entra sous l'arcade rouge. Immédiatement, une nouvelle arcade apparut sur sa gauche, dont surgissait un rayon de lumière verte qui allait se fondre dans le rouge, puis une autre sur sa droite, émettant une intense lumière jaune, et encore une devant lui, dont le rayonnement était mauve. Il semblait prisonnier des rayons entrecroisés. Il les sabra de son épée, dont le rayonnement noir les réduisait momentanément à de minces rais de lumière qui se reformaient de nouveau. Ainsi, il put continuer à avancer.

Une silhouette se dessina dans l'enchevêtrement de couleurs, et Elric crut que c'était celle d'un homme.

D'un homme elle avait la forme, mais apparemment pas la taille. Pourtant, en approchant, il vit que ce n'était pas un géant. De fait, il était même plus petit qu'Elric, mais il donnait une impression d'immensité – comme si c'était en fait un géant, et qu'Elric eût grandi jusqu'à atteindre sa taille.

Il avança lourdement vers Elric et passa *à travers* lui. Non qu'il fût intangible... c'était Elric qui se sentait pareil à un fantôme. La masse de la créature semblait incroyablement dense. Elle se retourna, un sourire moqueur sur le visage, et avança ses immenses mains. Elric les frappa avec *Stormbringer* et fut étonné de voir que l'épée runique était absolument sans effet sur la massive créature.

Pourtant, lorsqu'elle empoigna Elric, ses mains le traversèrent. Elric recula, souriant de soulagement. Puis, il s'aperçut avec terreur que la lumière le traversait. Oui... c'était bien lui le fantôme!

La créature vint de nouveau vers lui et l'agrippa sans parvenir à avoir prise sur lui.

Se rendant compte que, physiquement, il n'était pas en danger mais que sa raison allait subir des dommages irréversibles, Elric tourna le dos à la créature et prit la fuite.

Soudain, il se retrouva dans une vaste salle aux murs composés des mêmes couleurs instables et mouvantes que le reste de la structure. Au centre de la salle, tenant dans la paume de sa main de petites créatures qui semblaient courir en tous sens, était assis un petit personnage qui regardait Elric avec un sourire malicieux.

« Bienvenue, roi de Melniboné. Que devient le dernier souverain de ma race terrestre favorite? »

Il était vêtu d'une tenue bigarrée et scintillante, et coiffé d'une haute couronne hérissée de pointes – travesti éloquent de la livrée des puissants. Une bouche largement fendue était le trait le plus marquant de son visage angulaire.

142

« Salutations, seigneur Balo », lui répondit Elric avec un salut moqueur. « Votre hospitalité est pour le moins étrange.

— Hahaha! Cela ne vous a pas amusé, donc? Il est bien plus difficile de plaire aux hommes qu'aux Dieux – cela vous étonne, n'est-ce pas?

— Nos plaisirs sont rarement aussi recherchés. Où est la reine Yishana?

— Moi aussi, j'ai mes plaisirs, mortel. La voilà, je pense. » Il donna une petite chiquenaude à une des minuscules créatures qu'il tenait dans sa main. Elric s'approcha et reconnut effectivement Yishana, ainsi que nombre des soldats disparus. Balo le regarda et cligna de l'œil. « Ils sont tellement plus faciles à manier ainsi.

— Je n'en doute pas, mais je me demande s'ils ont vraiment rapetissé, ou si c'est nous qui avons grandi...

— Vous êtes astucieux, mortel. Mais pouvez-vous deviner comment une telle chose est possible?

— Cette créature qui surveille l'entrée... ce gouffre, ces couleurs et ces arcades... doivent modifier... quoi?

— *La masse,* Elric. Mais ces concepts ne sont pas à votre portée. Même les Seigneurs de Melniboné, les plus intelligents et les plus divins des mortels, n'ont guère appris qu'à manier les éléments à l'aide de rituels, d'invocations et de charmes – sans jamais comprendre la nature de ce qu'ils manipulaient. Là, les Seigneurs d'En Haut les dépassent, et de loin.

— J'ai survécu en disciplinant mon esprit, sans faire appel à des sortilèges.

— Cela vous a aidé, certes, mais vous oubliez votre principal atout – cette inquiétante lame noire. Vous vous servez d'elle pour résoudre vos misérables problèmes, sans même vous rendre compte que c'est comme si vous preniez une immense galère de guerre pour aller pêcher une sardine. Cette épée est puissante dans *tous* les Royaumes, Elric!

— C'est bien possible, mais cela ne m'intéresse guère pour le moment. Pourquoi êtes-vous venu ici, seigneur Balo? »

Balo éclata d'un rire riche et musical. « Oh, mais c'est que je suis en disgrâce. Je me suis querellé avec mes maîtres, qui se sont offusqués d'une petite tirade que j'avais faite sur leur insignifiance et leur égocentrisme, leur orgueil et leur destinée. La moindre allusion à leur disparition finale leur paraît de mauvais goût. Ayant commis ce " crime ", j'ai fui les mondes d'En Haut pour venir sur Terre, où les seigneurs de la Loi et du Chaos ne peuvent guère intervenir que si on les invoque. En vrai Melnibonéen, je pense que mes intentions vous séduiront, Elric : j'ai l'intention d'établir sur Terre mon propre royaume, le Royaume du Paradoxe. Un peu de Loi, un peu de Chaos... un royaume fait de contraires, de bizarreries et d'humour.

— Je pense que le monde est déjà tel que vous le décrivez, seigneur Balo; nous n'avons pas besoin de vous pour le créer!

— Votre ironie est bien sévère, pour un insouciant Melnibonéen.

— Sans doute, mais je suis un rustre lorsque l'occasion le demande. Me libérerez-vous, ainsi que Yishana?

— Mais vous et moi sommes des géants; je vous ai donné le statut et l'apparence d'un dieu. Nous pourrions être associés dans l'entreprise que je projette!

— Hélas, seigneur Balo, je ne possède pas votre humour, et ne me sens pas fait pour un rôle aussi élevé. Par ailleurs », Elric étouffa un rire, « j'ai l'impression que les Seigneurs d'En Haut ne manqueront pas de s'inquiéter de votre ambition, qui me paraît incompatible avec la leur. »

Balo sourit sans dire mot.

Elric sourit également, mais c'était pour dissimuler le désordre de ses pensées. « Que ferez-vous si je refuse?

— Vous n'allez quand même pas refuser, Elric! Je pourrais vous jouer bien des tours subtils...

— Vraiment? Et l'épée noire?

— Oui, évidemment...

— Balo, vos joyeuses obsessions vous ont empêché d'examiner la situation à fond. Vous auriez dû tenter de me vaincre avant que je pénètre ici. »

Les yeux d'Elric devinrent incandescents et il leva son épée en s'écriant :

« *Arioch! Maître! Je t'invoque, Seigneur du Chaos!* »

Balo eut un sursaut de surprise. « Arrêtez, Elric! »

« *Arioch! Il y a ici une âme qui te revient!* »

— Cessez, vous dis-je!

— *Arioch! Écoutez-moi!* » Le cri d'Elric devint désespéré.

Balo laissa tomber ses jouets et sautilla précipitamment vers Elric. « Voyez, nul ne prend garde à votre invocation. » Il avança le bras, mais *Stormbringer* gémit et trembla dans la main de son maître, et Balo dut retirer la main. Son visage devint grave.

« *Arioch des Sept Ténèbres! Ton serviteur t'appelle!* »

Les murs de feu tremblèrent et commencèrent à pâlir. Les yeux exorbités, Balo se mit à courir en tous sens.

« *Oh, seigneur Arioch! Viens reprendre ton bouffon égaré!* »

— Non, vous ne pouvez pas faire cela! » Balo courut vers un mur qui avait entièrement disparu, révélant d'impénétrables ténèbres.

« *Malheureusement pour toi, petit bouffon, il le peut...* »La voix était à la fois sardonique et belle. Une grande silhouette sortit des ténèbres. Comme il était de

145

coutume lorsque les Seigneurs d'En Haut visitent la Terre, le nouveau venu avait pris forme humaine. Pourtant, sa grande beauté, dans laquelle une sorte de compassion se mêlait à une grande fierté teintée de cruauté et de tristesse, montrait immédiatement qu'il ne pouvait être humain. Il portait un pourpoint dont le rouge tissu semblait palpiter, des bas aux coloris changeants, et une longue épée d'or. Ses yeux immenses étaient obliques, ses cheveux longs de la même couleur que son épée, ses lèvres pleines, et son menton pointu, de même que ses oreilles.

« Arioch! » s'exclama Balo tandis que le Seigneur du Chaos s'avançait.

« Vous avez commis une erreur, Balo », dit Elric derrière le bouffon. « Ne saviez-vous donc pas que seuls les rois de Melniboné peuvent invoquer Arioch pour le faire venir sur Terre? C'est leur privilège séculaire.

– Et combien en ont-ils abusé », dit Arioch en souriant imperceptiblement. « Toutefois, Elric, ce service que tu nous as rendu compensera les erreurs passées. »

Balo ne savait plus où se mettre, et Elric éprouvait une crainte respectueuse devant la puissance tangible du Maître du Chaos. Mais il ressentait aussi du soulagement, car il avait douté de pouvoir faire venir le grand Arioch. Il avait souvent invoqué son aide, et avait parfois été entendu, mais c'était la première fois que le Seigneur d'En Haut daignait venir en personne.

Arioch étendit le bras vers Balo et le souleva par le col. Ainsi suspendu, le bouffon gigota et se débattit avec des grimaces consternées.

Arioch se mit à malaxer sa tête, et Elric vit avec stupéfaction qu'elle rapetissait. Ensuite, il replia ses bras et ses jambes et puis le roula entre ses mains agiles et inhumaines jusqu'à ce que le bouffon ne fût plus qu'une petite boule – qu'il jeta dans sa bouche et avala.

146

« Je ne l'ai pas mangé, Elric », dit-il avec un sourire énigmatique. « C'est la façon la plus aisée de le ramener aux Royaumes d'où il était venu. Il a transgressé la règle et sera puni. Tout ceci... » – il engloba la citadelle d'un large geste, « est fâcheux, et contredit les plans que nous avons pour la Terre – des plans dans lesquels vous, notre serviteur, aurez à jouer un rôle qui vous rendra puissant. »

Elric s'inclina devant son maître. « Je suis très honoré, seigneur Arioch, quoique je n'aie demandé aucune faveur. »

La voix argentine d'Arioch devint moins harmonieuse et son visage s'assombrit momentanément. « De même que tes ancêtres, Elric, tu t'es engagé à servir le Choas. *Et tu le serviras!* Le moment approche où la Loi et le Chaos se battront pour le Royaume Terrestre – et le Chaos gagnera! La Terre sera incorporée à notre royaume et tu feras partie de la hiérarchie du Chaos, devenant, comme nous, immortel!

– L'immortalité a peu d'attraits pour moi seigneur.

– Oh, Elric, les hommes de Melniboné sont-ils devenus pareils aux demi-singes qui dominent la Terre avec leur pitoyable " civilisation "? Ne vaux-tu donc pas mieux que ces parvenus des Jeunes Royaumes? Pense à ce que nous t'offrons!

– Je n'y manquerai pas, seigneur, lorsque le temps sera venu », dit Elric, qui n'avait toujours pas relevé la tête.

« Nous y veillerons! » Arioch leva les bras. « Le moment est venu de transporter ce jouet de Balo dans le Royaume auquel il appartient, et de réparer les dommages qu'il a causés, de crainte que nos adversaires soient informés de nos intentions avant l'heure. »

La voix d'Arioch monta, pareille au chant d'un million de cloches de bronze. Elric rengaina et protégea ses oreilles douloureuses de ses mains.

Puis, Elric sentit son corps se déchirer en lambeaux, se dilater jusqu'à devenir léger comme de la fumée. Rapidement, cette fumée se condensa, et devint de plus en plus pesante. Autour de lui, tout n'était que couleurs, éclairs et bruits indescriptibles. Puis suivit le noir absolu, et il ferma les yeux.

Lorsqu'il les rouvrit, il se trouvait dans la vallée. La citadelle au doux chant avait disparu. Quelques soldats étaient là, l'air surpris... ainsi que Yishana. Elle courut se jeter dans ses bras.

« Elric... est-ce toi qui nous as sauvés?

— Le mérite ne m'en revient que partiellement.

— Tous mes soldats ne sont pas là », dit-elle après avoir inspecté les hommes. « Où sont les autres... et les villageois disparus?

— Si Balo partage les goûts de ses maîtres, je crains qu'ils n'aient l'honneur d'être devenus partie d'un demi-dieu. Les Seigneurs du Chaos ne sont pas des mangeurs de chair, bien sûr, mais autre chose dans les hommes leur procure des satisfactions... »

Yishana serra ses bras autour d'elle comme si elle avait froid. « Qu'il était grand! Je n'aurais jamais cru que la citadelle pût contenir une telle masse.

— La citadelle était plus qu'une simple habitation, c'est évident. Elle changeait de forme, de dimensions – et bien d'autres choses que je ne puis décrire. Arioch du Chaos l'a ramenée, ainsi que Balo, là d'où ils venaient.

— Arioch! Mais c'est un des Six Grands! Comment a-t-il pu venir sur Terre?

— Un pacte ancien le lie à mes ancêtres. En l'appelant, nous lui permettons de venir pour une période limitée dans notre royaume, et en échange, il nous accorde quelque faveur. C'est ce qui s'est passé. »

Elle le prit par le bras. « Viens Elric. Quittons cette vallée. »

Elric était très affaibli par les efforts fournis pour appeler Arioch, et par ses autres expériences dans la citadelle. Il avait peine à marcher, et bientôt Yishana dut le soutenir. Ils allèrent ainsi, lentement, suivis par les soldats hébétés, jusqu'au plus proche village, où ils purent se reposer et se procurer des chevaux afin de regagner Dhakos.

Alors qu'ils longeaient les ruines calcinées de Thokara, Yishana leva soudain le bras au ciel.

« Qu'est-ce que c'est? »

Une grande forme volait dans leur direction. C'était celle d'un papillon, mais d'un papillon aux ailes si grandes qu'elles cachaient le soleil.

« Serait-ce une créature que Balo a abandonnée derrière lui? » demanda Yishana.

« C'est peu probable » répliqua Elric. « Cela a toute l'apparence d'un monstre conjuré par un sorcier humain.

– Theleb K'aarna!

– Il s'est surpassé », dit Elric avec dépit. « Je ne l'en aurais pas cru capable.

– Il se venge de nous, Elric!

– C'est vraisemblable. Mais je suis affaibli, Yishana, et *Stormbringer* a besoin d'âmes pour me redonner vigueur. » Il jeta un regard spéculateur sur les soldats qui regardaient avec stupéfaction la créature grandir dans le ciel. On distinguait maintenant un corps humain couvert de poils ou de plumes vivement colorées comme celles du paon.

Faisant siffler l'air, elle descendit vers eux. Son corps long de deux mètres paraissait minuscule en comparaison de ses ailes qui avaient quinze mètres d'envergure. Sa tête était surmontée de deux cornes en spirale, et ses bras se terminaient par des serres d'aspect redoutable.

« Nous sommes perdus, Elric! » s'écria Yishana, voyant que ses guerriers s'enfuyaient malgré ses ordres. Elric demeura pétrifié, car il savait que, seul, il ne pourrait pas vaincre la créature aux ailes de papillon.

« Pars avec eux, Yishana », murmura-t-il. « Je pense qu'il se satisfera de moi.

– Non! »

La créature atterrit à peu de distance et se glissa dans sa direction. Lui aussi avança vers elle, en tirant *Stormbringer,* silencieuse et lourde dans sa main. Elle lui transmit quelques forces, mais pas suffisamment. Son seul espoir était de frapper le monstre dans ses organes vitaux afin d'absorber une partie de sa force vitale.

La créature glapit d'une voix aiguë et vibrante, et son visage étrange et fou se tordit. Elric vit qu'il ne s'agissait pas réellement d'un habitant surnaturel des mondes inférieurs, mais d'une créature qui avait été humaine et que la sorcellerie de Theleb K'aarna avait déformée de la sorte. Elle était donc mortelle, et ne pouvait lui opposer que sa force physique. Dans d'autres conditions, c'eût été un jeu d'enfant pour Elric, mais maintenant...

Battant l'air de ses ailes, elle essaya de saisir Elric de ses mains griffues. L'albinos saisit la lame runique à deux mains et l'abattit sur le cou du monstre, qui replia rapidement les ailes pour se protéger, et *Stormbringer* s'empêtra dans cette étrange chair visqueuse. Les serres griffèrent Elric au bras, déchirant les chairs jusqu'à l'os. Il hurla de douleur et arracha son épée aux ailes qui l'enserraient.

Il reprit son souffle se préparant à frapper de nouveau, mais le monstre le saisit par son bras blessé et l'attira lentement vers sa tête baissée... et les cornes effilées qui la surmontaient.

Il lutta avec l'énergie du désespoir, frappant sauvagement le bras de la créature.

Puis, il entendit un hurlement, et vit du coin de l'œil une silhouette humaine qui s'élançait, tenant une lame brillante dans chaque main.

Les deux épées frappèrent simultanément les serres du monstre, qui poussa un glapissement aigu et se retourna contre celui qui était venu au secours d'Elric.

C'était Tristelune. Elric recula, hors d'haleine, et regarda son ami aux cheveux roux engager la lutte avec le monstre.

Sans aide, il était évident que Tristelune ne survivrait pas longtemps.

Elric essaya de se souvenir d'une incantation qui pourrait les sauver. Mais, même s'il en trouvait une, il était trop faible pour pouvoir invoquer une aide surnaturelle.

Puis une idée lui vint. Yishana! Elle était moins épuisée que lui. Mais en serait-elle capable?

Les ailes de la créature faisaient gémir l'air. En se retournant Elric vit que Tristelune parvenait tout juste à la maintenir à distance en contrant lestement ses tentatives pour l'agripper.

« Yishana! » gémit Elric.

Elle vint près de lui et posa sa main sur la sienne. « Nous pourrions partir, Elric... et peut-être nous cacher?

— Non. Il faut que j'aide Tristelune. Écoute-moi, tu vois combien notre situation est désespérée, n'est-ce pas? Souviens t'en en récitant cette rune avec moi. Ensemble, nous réussirons peut-être? Il y a de nombreux lézards dans cette région, je crois?

— Oui, de toute espèce.

— Alors, voici ce que tu dois dire – et souviens-toi que le serviteur de Theleb K'aarna nous fera tous périr si tes efforts sont vains. »

Dans les mi-mondes, où résident les archétypes de toutes les créatures autres que l'homme, une entité s'éveilla en entendant son nom. Cette entité était nommé Haaashaastaak; elle était froide et couverte d'écailles, et dénuée de la raison que les hommes et les dieux ont en partage, mais douée d'une *conscience* qui la servait tout aussi bien, sinon mieux. Sur ce plan, elle était à égalité avec des entités telles que Meerclar, Seigneur des Chats, Roofrdrak, Seigneur des Chiens, Nuru-ah, Seigneur du Bétail, et bien d'autres. Ce Haaashaastaak était le Seigneur des Lézards. Il n'entendait pas vraiment les mots, mais des rythmes qui avaient une importante signification pour lui, bien qu'il ignorât pourquoi. Ces rythmes se répétèrent inlassablement, mais ils étaient si faibles... si faibles qu'ils ne méritaient pas considération. Il s'éveilla, bâilla, mais ne fit rien...

> *Haaashaastaak, Seigneur des Lézards,*
> *Tes enfants sont les pères des hommes.*
> *Haaashaastaak, Prince des Reptiles,*
> *Viens aider tes petits-enfants!*
> *Haaashaastaak, Père des Écailles,*
> *Donneur de Vie au sang froid...*

Elric et Yishana, reprenant sans cesse la même rune, d'une voix de plus en plus désespérée, et Tristelune se battant vaillamment mais de plus en plus faiblement, composaient une scène étrange et inoubliable.

Haashaastaak frémit et sa curiosité s'éveilla. Les rythmes n'étaient pas devenus plus forts, mais leur insistance était étrange. Il prit la décision de se rendre dans le lieu où vivaient ceux dont il était le protecteur. Il savait que, s'il répondait à ces rythmes, il devrait obéir à celui qui les émettait. Il ignorait évidemment que cette décision avait

152

été implantée en lui en un temps incroyablement lointain – avant la création de la Terre, lorsque les Seigneurs de la Loi et du Chaos, habitant un seul et même royaume et connus sous un autre nom, avaient présidé à la formation des choses et édicté la logique selon laquelle ces choses devaient se comporter, la logique de l'Équilibre Cosmique – dont la voix se fit alors entendre une fois, et garda le silence depuis.

Paresseusement, Haaashaastaak se mit en devoir de gagner la Terre.

Elric et Yishana psalmodiaient toujours d'une voix de plus en plus rauque lorsque Haashaastaak fit son apparition. Il avait l'aspect d'un énorme iguane; ses yeux étaient des pierres précieuses aux facettes multicolores, et ses écailles paraissaient d'or, d'argent et d'autres métaux précieux. Un léger halo brumeux l'entourait, comme s'il avait apporté avec lui une partie de son environnement habituel.

Yishana retint un cri et Elric prit une profonde inspiration. Encore enfant, il avait appris les langages de tous les maîtres-animaux, et maintenant, il devait se souvenir de celui de Haaashaastaak.

L'impérieuse nécessité du moment fouetta son esprit, et les mots vinrent :

« *Haaashaastaak!* » cria-t-il en désignant la créature aux ailes de papillon. « *Mokik ankkuh!* »

Le Seigneur des Lézards tourna ses yeux resplendissants vers la créature et fit jaillir sa longue langue, qui alla s'enrouler autour du monstre. Ce dernier, glapissant de terreur, fut irrésistiblement attiré vers la gueule ouverte du Seigneur des Lézards. Ses bras et ses jambes gigotaient encore lorsqu'elle se referma sur lui. En quelques bouchées, Haaashaastaak eut avalé le chef-d'œuvre de sorcellerie de Theleb K'aarna. Puis, il tourna la tête en tous sens, comme s'il était incertain de ce qu'il allait faire, et disparut.

Une douleur lancinante traversait le bras déchiré d'Elric. Souriant de soulagement, Tristelune vint vers lui.

« Comme vous me l'avez demandé, je vous ai suivi à bonne distance », dit-il « puisque vous vous attendiez à une perfidie de la part de Theleb K'aarna. Mais alors, j'aperçus le sorcier venir dans cette direction et ce fut lui que je suivis jusqu'à une grotte située derrière ces collines. Mais lorsque le cadavre », il eut un rire chevrotant, « sortit de la grotte, je pensai que le mieux serait de *le* suivre, car j'avais le sentiment qu'il allait dans votre direction.

– Je suis heureux que tu aies été aussi fin », dit Elric.

« C'était surtout grâce à vous », répliqua Tristelune, « car, si vous n'aviez pas deviné la traîtrise de Theleb K'aarna, je ne me serais pas trouvé là au bon moment. » Sur ces mots, Tristelune se laissa tomber sur l'herbe, sourit et perdit connaissance.

Elric n'était lui-même pas loin de l'évanouissement. « Je pense que nous n'avons rien à craindre du sorcier pour le moment, Yishana », dit-il. « Prenons quelque repos ici. Ensuite lorsque vos lâches soldats seront revenus, nous pourrons les envoyer quérir des chevaux dans un village. »

Ils s'étendirent sur l'herbe et s'endormirent dans les bras l'un de l'autre.


Elric fut étonné de se réveiller dans un lit, un lit très doux. Il ouvrit les yeux, et vit Yishana et Tristelune qui lui souriaient.

« Je suis ici depuis longtemps?

– Depuis plus de deux jours. Tu ne t'es pas réveillé à

l'arrivée des chevaux, et j'ai fait construire un brancard pour t'amener jusqu'à Dhakos. Tu es dans mon palais. »

Elric bougea précautionneusement son bras entouré de pansements. Il lui faisait toujours mal. « Mes possessions sont toujours à l'auberge?

— Sans doute, si on ne les a pas volées. Pourquoi?

— J'ai une escarcelle emplie d'herbes qui aideront mon bras à guérir et me redonneront également quelques forces, ce dont j'ai le plus grand besoin.

— Je vais voir si elle y est toujours », dit Tristelune en se dirigeant vers la porte.

Yishana caressa ses cheveux blancs comme le lait. « Je te dois bien des remerciements, loup. Tu as sauvé mon royaume — et peut-être tous les Jeunes Royaumes. A mes yeux, cela rachète la mort de mon frère.

— Grand merci, madame », dit Elric sur un ton moqueur.

« Je vois que tu es toujours Melnibonéen », dit-elle en riant.

« Toujours, oui.

— Quel curieux mélange cela fait : sensible et cruel, sardonique et loyal envers ton ami, le petit Tristelune. Je suis impatiente de mieux te connaître, mon seigneur.

— Je ne suis pas certain que tu en auras l'occasion. »

Elle le regarda avec une dureté soudain. « Pourquoi?

— Ton résumé de mon caractère était incomplet. Il eût fallu ajouter : indifférent au monde, et pourtant avide de vengeance. Je tiens à me venger de ton sorcier favori.

— Il a épuisé ses possibilités, tu l'as dit toi-même.

— Mais, comme tu me l'as fait remarquer, je suis resté Melnibonéen, et mon sang fier exige que je me venge de ce parvenu!

— Oublie Theleb K'aarna. Je le ferai pourchasser par

mes Léopards Blancs. Même sa sorcellerie sera impuissante contre de tels sauvages!

— L'oublier? Oh non!

— Elric, Elric... Je te donne mon royaume, je te fais souverain de Jharkor, si tu m'acceptes pour épouse! »

Il caressa son bras nu de sa main indemne.

« Tu manques de réalisme, ma reine. Une telle décision soulèverait tout le pays. Pour ton peuple, je suis resté le Traître d'Imrryr.

— Plus maintenant; tu es devenu le Héros de Jharkor.

— Vraiment? Ils étaient ignorants du péril qui les menaçait, et n'auront donc aucune gratitude envers celui qui l'a écarté. Le mieux serait que je règle ma dette envers ton magicien puis que j'aille mon chemin. Les rues doivent déjà être pleines de la rumeur que tu partages ta couche avec l'assassin de ton frère. Ta popularité doit avoir atteint son niveau le plus bas.

— Que m'importe.

— Cela t'importera si les nobles soulèvent le peuple et te crucifient nue sur la grand-place de la ville.

— Je vois que tu connais bien nos coutumes.

— Les Melnibonéens sont un peuple savant, reine.

— Versé dans tous les arts.

— Dans tous. » Elle se leva pour lui barrer le chemin de la porte, et il sentit son sang battre dans ses veines. En ce moment-là, il n'eut pas besoin des herbes que Tristelune était allé chercher.


Plus tard, lorsqu'il sortit sur la pointe des pieds, il trouva Tristelune, qui l'attendait patiemment dans l'antichambre. Avec un clin d'œil complice, il lui tendit l'escarcelle. Mais Elric n'était pas d'humeur à plaisanter. Il en sortit quelques poignées d'herbes et choisit celles dont il avait besoin. Tristelune fit la grimace en le voyant mâcher et avaler les plantes.

Puis, sans faire de bruit, ils sortirent du palais. Armé de *Stormbringer* et monté sur un fier coursier, Elric suivit son ami Tristelune qui le guidait vers les collines de Dhakos.

« Pour autant que je connaisse les sorciers de Pan Tang », murmura l'albinos, « Theleb K'aarna doit être plus épuisé que je ne l'étais. Avec un peu de chance, nous le surprendrons dans son sommeil.

– Dans ce cas, j'attendrai devant la grotte », dit Tristelune, qui savait par expérience comment Elric se vengeait et n'avait nulle envie d'assister à la lente mort du sorcier.

Ils galopèrent allègrement jusqu'aux collines, et Tristelune montra à Elric l'entrée de la caverne.

L'albinos descendit de cheval et entra silencieusement dans le souterrain, l'épée nue.

Tristelune attendit avec appréhension les premiers hurlements de Theleb K'aarna, mais rien ne vint. Ce ne fut qu'aux premières lueurs de l'aube qu'Elric ressortit, le visage mauvais et rageur.

Il saisit violemment les rênes de son cheval et sauta en selle.

« Êtes-vous satisfait? » finit par lui demander Tristelune.

« Satisfait? Non! Le chien a disparu!

– Parti?... Mais...

– Il a été plus rusé que je ne l'aurais cru. Il y a plusieurs cavernes qui se font suite, et je les ai toutes explorées. Dans la dernière, j'ai découvert des traces de runes magiques sur les parois. Il s'est transporté quelque part, mais je n'ai pas pu découvrir où, bien que j'aie déchiffré la plupart des runes. Peut-être est-il allé à Pan Tang.

– Notre quête a donc été vaine. Retournons à Dhakos,

pour profiter encore un peu de l'hospitalité de Yishana.

– Non. Nous allons à Pan Tang.

– Mais Elric... les comparses de Thebeb K'aarna y seront en force; de plus, Jagreen Lern, le Théocrate, interdit aux étrangers de pénétrer dans l'île!

– Cela m'est égal. Je veux en finir avec Theleb K'aarna.

– Mais il n'est même pas certain qu'il soit à Pan Tang!

– *Cela m'est égal!* »

Elric éperonna son cheval et chevaucha comme un possédé, ou comme un homme fuyant quelque épouvantable péril – et peut-être était-il tout cela, en fait. Tristelune ne le suivit pas immédiatement, mais le regarda songeusement s'éloigner. Il n'était pas dans sa nature de se poser trop de questions, mais il se demanda s'il n'était pas possible que Yishana ait ému l'albinos plus qu'il ne l'aurait souhaité. Non, la vengeance n'était sans doute pas le principal mobile qui lui faisait fuir Dhakos.

Il haussa les épaules avec fatalisme et serra les flancs de son coursier pour rattraper Elric dans la froide lumière de l'aube, se demandant s'ils continueraient vraiment jusqu'à Pan Tang une fois que Dhakos serait suffisamment loin derrière eux.

L'esprit d'Elric était vide de pensées. Il ne contenait que des émotions, des émotions qu'il ne désirait pas analyser. Ses cheveux blancs flottaient dans le vent de la course; son beau visage d'une mortelle pâleur était dur et figé; ses mains longues et minces serraient très fort les rênes de son coursier qu'il menait au grand galop. Seuls ses étranges yeux cramoisis reflétaient le douloureux conflit qui l'habitait.

A Dharkos, ce matin-là, d'autres yeux étaient emplis de douleur – mais pas pour très longtemps, car Yishana était une reine au caractère réaliste.

# TABLE

**IMPRIMÉ EN FRANCE PAR BRODARD ET TAUPIN**
58, rue Jean Bleuzen - Vanves.
Usine de La Flèche, le 28-07-1986.
6450-5 - No d'Éditeur 2027, novembre 1983.

PRESSES POCKET - 8, rue Garancière - 75006 Paris
Tél. 46.34.12.80